KB213165

꿈으로 풀어보는
미래의 운명을 직접 알 수 있다

꿈해몽법

편 집 부 엮음

恩光社

■ 꿈에 대한 해설 ■

꿈을 한 마디로 요약해서 정의할 수는 없는 일이다. 누구나 알고 있는 이 모든 꿈에 공통된 한 가지의 확실한 것은, 꿈을 꾸고 있을 때는 자고 있다는 것이다.

꿈을 꾸고 있음은 분명히 수면 중의 시간이며 깨어 있을 때의 생각과는 차이가 있는 것이다. 그렇다고 전혀 관계가 없는 건 아니다. 우리는 흔히 잠자기 전에 무언가를 골몰히 생각하면 그것과 관계되는 것이 꿈 속에 나타난다는 말을 들었을 것이고 실제로 체험을 하기도 했을 것이다.

이것은 실생활과 꿈 사이에 떨칠 수 없는 어떤 관계가 맺어지고 있다는 걸 증명할 수 있는 사실이다.

그러한 꿈을 거의 매일 밤 꾸는 사람도 있고 열흘에 한 번, 혹은 한 달에 한 번 꾸는 사람도 있다. 또한 꿈의 종류도 각양각색이어서 딱 잘라 몇 가지라고 단언할 수는 없는 것이다. 크게 요약해 본다면, 황홀한 꿈, 슬픈 꿈, 즐거운 꿈, 기괴한 꿈, 무서운 꿈 등 세부적으로는 설명할 수 없는 꿈들이 있다.

이 모든 종류의 꿈을 종합해서 정신 분석학의 창시자인 프로이드는 일종의 신경증으로 보았다. 즉, 꿈 그 자체가 하나의 신경증적 현상이며 실착행위(失錯行爲)라고 하였다.

그의 이 정의는 정신분석적 연구의 대상으로서 말하고 있는 것이지만 결코 비과학적이 아니라는 뜻도 포함하고 있다. 현대의 감각에 맞추어 살아가고 있노라고 자부하는 젊은이들은 해몽이라고 하면 비웃음으로 일소해 버리지만 그것은 크게 잘못된 현상이다. 한 예를 들자면 몇 십만 대 일의 비율을 가지고 있는 복권 당첨들이 거의 공통된 꿈을 꾸고 복권을 샀다는 게 실질적으로 증명되고 있기도 하다.

차 례

제 1 장
신체에 관한 꿈

1) 얼 굴

◇ **자기의 얼굴은 물론 남의 얼굴까지도 검게 보이는 꿈은**/평소 꺼려하던 사람과 만나거나 거래 등을 하게 된다.

◇ **얼굴과 얼굴이 겹쳐지는 꿈은**/서로 다른 상표의 선물을 받거나 집안의 가구 등을 옮기게 된다.

◇ **얼굴이 검은 아이를 본 꿈은**/누구나 싫어하는 일을 떠맡게 된다.

◇ **얼굴 부위를 치료하거나 수술한 꿈은**/자신의 주위에서 무언가 옮겨지는 일을 행하게 된다. 즉 문패를 새로 갈아 단다든지 방문을 다시 고쳐단다든지 등의 일을 하게 된다.

◇ **얼굴 전체를 붕대로 감은 사람을 본 꿈은**/누구에게 사기를 당하거나 불의의 사고를 당하게 된다.

◇ **얼굴이 거울에 맑게 비치는 꿈은**/예기치 않았던 사람을 만나거나 소식을 전해듣게 된다.

◇ **깨끗하게 세수를 한 꿈은**/승진을 하거나 쌓였던 걱정거리가 없어지게 된다.

◇ **얼굴의 한 부분을 수술하는 꿈은** / 관직에 있는 사람에 의해서 심문을 받거나 고문을 받게 된다.

◇ **얼굴에 주사를 맞는 꿈은** / 직장이나 집안일에 변화가 있게 된다.

◇ **얼굴에 부스럼이나 종기가 나는 꿈은** / 자신이 한 행동이나 일들이 남의 입에 오르내려 구설수에 휘말리게 된다.

◇ **얼굴을 가린 사람을 만난 꿈은** / 전혀 신분을 모르는 사람으로부터 폭행 등의 피해를 당하게 된다.

2) 이 빨

◇ **이빨이 부러지는 꿈은** / 어떤 병에 걸리거나 하는 사업에 지장이 있을 징조이다.

◇ **앓던 이빨이 빠지는 꿈은** / 병중에 있던 환자가 사망을 하거나 자기가 부리던 직원이 사표를 내고 퇴사하게 된다.

◇ **거울을 통해서 자신의 덧니를 보게 된 꿈은** / 부인 이외의 여자와 관계를 갖거나 사업상의 동업자가 나타나게 된다.

◇ **남의 이빨이 빠져 흐르는 피를 본 꿈은** / 자기에게 방해가 됐던 사람이 사망하거거나 사직을 당해 자신에겐 큰 이득이 되는 일이 생긴다.

◇ **이빨 하나가 빠지는 꿈은** / 일가친척 중의 한 사람이 죽거나 아니면 이별을 하게 되며 자기 주위의 이로웠던 사람과도 헤어지게 된다.

◇ **어린이의 이빨이 새로 나는 것을 본 꿈은** / 소원이 성취되거나 그간 부족했던 것이 채워지게 된다.

◇ **윗이빨 중의 하나가 빠지는 꿈은** / 윗사람 중의 한명에게 변동이 생기게 되며 아랫이는 아랫사람, 어금니는 친척, 덧니는 사위나 양자 정도와 관계가 있는 것이다.

◇ **이빨이 검고 누렇게 변하는 꿈은** / 집안이나 직장 등에서 좋지 않은 일이 발생하게 된다.

◇ **이빨을 뽑았는데 허전함을 느꼈던 꿈은** / 세상에 자기 혼자 있는 것 같은 고독감을 맛볼 일이 생기게 된다.

◇ **이빨이 하나도 남김없이 빠져버린 꿈은** / 자신이 하고 있는 일 전체에 큰 변화가 생긴다.

◇ **이빨의 일부가 빠진 꿈은** / 자신이 하고 있는 일의 일부분에 변화가 생기게 된다.

◇ **자기도 모르는 사이에 이빨이 빠지는 꿈은** / 평소 존경하던 사람이 죽게 되거나 좋지 않은 소식을 듣게 된다.

◇ **빠진 이빨 대신 물리적인 이빨을 해 넣은 꿈은** / 관계없던 사람과 만나 친분을 맺게 된다.

◇ **해넣은 이빨이 밝게 빛나는 꿈은** / 능력 있는 직원을 얻거나 훌륭한 사람과 관계하게 된다.

3) 성 기

◇ **이성이 성기를 보여준 꿈은** / 사업상 유혹을 받을 일이 있거나 자신의 실력을 자랑할 일이 생긴다.

◇ **남자가 여자의 성기를 만지는 꿈은** / 동업자가 생겨 사업을 같이 하거나 남의 물건을 감정할 일이 생긴다.

◇ **자신의 성기를 꺼내놓고 자랑하는 꿈은** / 자기의 작품성이 있는 물건이나 자식을 자랑할 일이 생긴다.

◇ **전혀 꺼리낌이 없이 사람들에게 자신의 성기를 꺼내보이는 꿈은** / 자기가 만든 물건이나 자식들을 남 앞에서 자신만만하게 자랑할 일이 생긴다.

◇ **강한 성욕을 느꼈으면서도 성교를 하지 못한 꿈은** / 하는 일이 심하게 꼬이고 자식이 대들 일이 생긴다.

◇ **남의 성기가 굉장히 커보였는데 알고 보니 모조품이었다는 사실을 알게 된 꿈은** / 누구에게 감언이설로 속았던 사실을 깨닫게 되거나 어떤 물건에 대해 과대평가했던 걸 비로소 깨닫게 된다.

◇ **남자는 여자, 여자는 남자의 성기가 유난히 훌륭하다고 생각하며 최상의 성교를 한 꿈은** / 자신이 어떤 일을 했을 때 주위로부터 칭찬을 받는다.

◇ **남자가 여성기를 달고 있는 꿈은** / 활동적인 사업을 벌이거나, 현재 벌이고 있는 상태라면 좋은 결과를 얻게 된다.

◇ **여자가 소변보는 모습을 감상한 꿈은** / 경쟁자에게 뒤떨어지거나, 경쟁을 했던 사람이 크게 성공하자 패배의식에 빠져 몹시 괴로워하게 된다.

◇ **여자가 남성의 성기를 만지작거리는 꿈은** / 가까운 사람들로 인하여 정신적으로 괴로움을 당하게 된다.

◇ **남이 자신의 성기를 볼까봐 고심한 꿈은** / 자신이 했던 일에 심한 부끄러움을 느끼며 의기소침해질 일이 생긴다.

◇ **여자가 남성의 성기 두개를 놓고 비교검토한 꿈은** / 모든 일에 자신을 포함한 삼각관계가 형성돼 쉽게 단안을 내리지 못할 일이 생긴다.

◇ **노력을 하는데도 성기가 발기불능이 돼 초조해하는 꿈은** / 하고

있는 일에 대해 애착이 가지 않으며 결국은 실패하게 된다.

◇ **남의 성기와 자신의 성기를 비교한 꿈은**/매사의 모든 일을 남이 하는 일과 비교할 일이 생기며 내 자식과 남의 자식을 비교할 일이 생긴다.

4) 알 몸

◇ **상반신을 벗고 일을 한 꿈은**/무슨 일을 하든 윗사람으로부터 협조를 받지 못한다.

◇ **하반신을 벗고 일을 한 꿈은**/무슨 일을 하든 아랫사람에게 협조를 받지 못한다.

◇ **홀딱쇼를 구경한 꿈은**/자신과는 전혀 무관한 싸움구경을 하게 된다.

◇ **거울을 앞에 놓고 옷을 모두 벗는 꿈은**/몹시 반가운 사람을 만나는데 그사람으로부터 신세한탄을 듣게 된다.

◇ **벌거숭이가 됐는데 그 알몸을 가리지 못해 몹시 당황해 한 꿈은**/사업상의 일로 자신을 도와줄 사람이 없어 애태우게 된다.

◇ **옷을 벗은채로 꼿꼿이 서서 대소변을 보면서도 전혀 부끄럽게 생각하지 않은 꿈은**/자기만이 간직하고 있던 좋지않은 비밀을 누구에겐가 털어놓고 후련한 마음을 갖게 된다.

◇ **옷을 말쑥하게 입고 있는 꿈은**/하는 일 모두가 순조로워서 거리낄 것이 없다.

◇ **알몸인 상태로 성교를 한 꿈은**/사업 등의 일로 인한 대인관계에서 감추어야 할 일이 전혀 생기지 않는다.

◇ **옷을 벗었는데도 부끄럽지 않은 꿈은**/자신과 관계된 모든 일을 추호도 숨김이 없이 만인에게 공개하게 된다.

◇ **옷을 벗고 몹시 부끄러워 한 꿈은**/지금껏 숨겨왔던 일이 탄로날까봐 조마조마해 하거나, 숨겼던 일이 탄로나 창피를 당하게 된다.

◇ **목욕을 하기 위해서 옷을 벗는 꿈은**/무슨 일을 하든 정직하게 행해서 감출 것이 없게 된다.

◇ **자신의 알몸에 자신이 도취된 꿈은**/남이 자신을 우러러볼 일이 생기며 알게 모르게 형제들의 도움을 받는다.

◇ **몸의 일부를 노출시키는 꿈은**/믿었던 곳이 줄어들거나 과시할 일, 공개할 일 등이 줄을 잇는다.

◇ **화가 앞에서 알몸인 채로 모델이 되는 꿈은**/철학에 관계된 사람에게 자신의 운세를 상담할 일이 생긴다.

◇ **속옷만 입고 움직인 꿈은**/신분의 보장을 받지 못하게 되거나 심한 고독감에 빠지게 된다.

5) 머리 · 목 · 어깨

◇ **남에게 머리를 숙인 꿈은**/누구에게 복종할 일이 생긴다.

◇ **남이 자신에게 머리를 숙인 꿈은**/자기가 주장하는 일을 많은 사람들이 받아들인다.

◇ **여러 개의 동물 머리가 한곳에 붙어 있는 꿈은**/한 단체에 두 가지의 사상이나 이념이 있어 두 파로 갈라져 있음을 뜻한다.

◇ **잘린 머리를 천정에 매단 꿈은**/곧 처리해야 할 급한 일, 다른 부서에 부탁할 일이 생긴다.

◇ **맹수의 머리를 구하는 꿈은** / 진행중인 큰 일이 성사되거나 권리와 명예를 한꺼번에 얻을 수 있다.

◇ **전쟁에서 적장의 머리를 얻거나 본 꿈은** / 대사가 순조롭게 성취되며 권리와 명예도 동시에 얻는다.

◇ **동물이나 사람의 머리에게 쫓기는 꿈은** / 하는 일이 심하게 꼬여 정신적으로도 큰 괴로움을 받는다.

◇ **자기의 머리가 짐승의 머리로 변한 꿈은** / 어떤 단체나 모임 등에서 우두머리직을 맡게 된다.

◇ **자신의 뒤통수를 본 꿈은** / 자신의 이력 등 모든 관계를 재검토할 일이 생긴다.

◇ **상대방의 뒤통수를 본 꿈은** / 다른 사람에게 무슨 일을 시키면 자기 뜻대로 잘 들어준다.

◇ **누구의 뒤통수를 때린 꿈은** / 꿈 속에 나타났던 사람의 모든 걸 들추어내는데 어려움이 없으며 쉽게 벌을 줄 수 있다.

◇ **누군가의 목을 때린 꿈은** / 부정을 저지른 사람에게 죄상을 추궁하게 된다.

◇ **누군가의 목을 때려서 죽인 꿈은** / 시험을 치면 수석으로 합격하며 일을 벌이면 성취할 수 있다.

◇ **어떤 물건이 목에 걸려 호흡이 곤란한 꿈은** / 누구에게 부탁한 일이 잘 성사되지 않으며, 받아먹은 뇌물 때문에 말썽이 생긴다.

◇ **자신의 목에 누군가가 목말을 탄 꿈은** / 남에게 심한 간섭을 받게 된다.

◇ **자신이 남의 목에 목말을 타는 꿈은** / 여러 사람의 추대를 받아 높은 지위에 오르게 된다.

◇ **누구에겐가 목을 졸리은 꿈은** / 하는 사업이 누구에겐가의 방해를

받아 중단되거나 심한 어려움을 겪게 된다.

◎ **목에 낀 때를 깨끗이 씻는 꿈은**/ 혼자서 뒤집어썼던 누명이 벗어지게 된다.

◎ **목구멍의 가래를 뱉아내는 꿈은**/ 막혔던 일이 술술 풀리고 원했던 것을 이룰 수가 있다.

◎ **목을 송곳에 찔린 꿈은**/ 편도선과 관련된 병으로 한동안 고생하게 된다.

◎ **어깨에 붙인 견장이 밝게 빛나는 꿈은**/ 남들 앞에서 권력을 뽐내게 되며 막중한 자리에 앉게 된다.

6) 항문 · 엉덩이

◎ **항문에 값비싼 패물을 감추는 꿈은**/ 아무도 모르게 돈 따위의 귀중품을 빼돌릴 일이 생긴다.

◎ **항문으로 삐져나온 창자를 깨끗이 닦아서 다시 밀어넣는 꿈은**/ 자신이 벌여놓은 사업 등의 일에 마무리를 해야 할 일이 생긴다.

◎ **배설하는 소를 본 꿈은**/ 부정을 하는 현장을 목격하게 된다.

◎ **뒤에서 여자를 안고 성교하는 꿈은**/ 믿고 의지하던 사람과 상의할 일이 생기거나 상품 거래, 부동산 등 계약할 일이 생긴다.

◎ **여자의 엉덩이를 똑똑히 본 꿈은**/ 전혀 예기치 않았던 좋지 않은 일을 당하게 된다.

◎ **여자의 엉덩이를 손바닥으로 때린 꿈은**/ 집을 지을 때 기초를 잘못 다듬었으며 무슨 일을 하든 하단부에서 실수를 저지르게 된다.

7) 털 · 머리카락

◇ 털이 난 남의 몸을 본 꿈은 / 거래상 만난 사람이 솔직한 얘기를 하지 않으며 그것으로 인하여 싸움을 하게 된다.

◇ 뱃속에 들어있는 털을 꺼낸 꿈은 / 타지방으로 가 있어서 만나기 어려웠던 친척이나 가까운 사람이 갑자기 돌아온다.

◇ 누군가 머리를 감고 단정하게 빗는 것을 본 꿈은 / 자기 자신에게 자해를 하거나, 내가 잘못된 것을 남이 좋아하는 일을 당하게 된다.

◇ 몸에 원숭이처럼 털이 나있는 꿈은 / 어떤 단체의 우두머리로 추대되거나 많은 사람들에게서 도움을 받는다.

◇ 눈썹이나 수염 등 몸에 난 털을 깎은 꿈은 / 집안이나 가까운 사람 등의 누군가가 죽게 되며 망신당할 일이 생긴다.

◇ 머리를 빗을 때 머리에서 비듬 등이 눈처럼 많이 쏟아지는 꿈은 / 지금까지 꼬이기만 하던 일이 봇물이 터지듯 일시에 풀리게 된다.

◇ 머리카락이 실뭉치처럼 엉켜서 빗기가 어려운 꿈은 / 걱정거리가 생기며 하고 있는 일도 잘 풀리지 않는다.

◇ 눈썹이 하얗게 변한 꿈은 / 어떤 모임에서든 높은 중책을 맡아 보게 된다.

◇ 눈썹이 머리카락처럼 길게 난 꿈은 / 어떤 형태로든 금전적인 이익을 얻게 된다.

◇ 머리를 빡빡 깎은 여자의 꿈은 / 믿고 의지하던 사람과 헤어지게 된다.

◇ 누군가가 강제로 자기의 머리를 깎은 꿈은 / 직계가족 누군가가 해를 입게 된다.

◇ 멋을 내기 위해 머리를 깎거나 손질한 꿈은 / 갈망하고 있던 소원이 이루어지거나 뜻하지 않았던 기쁜 소식을 듣게 된다.

◇ 머리를 감거나 말쑥하게 빗은 꿈은 / 걱정하던 일이 잘 풀리고 멀리서 반가운 손님이 온다.

◇ 머리를 깎거나 면도를 한 꿈은 / 속시원한 일이 생기거나 무슨 일을 해도 만족스럽다.

◇ 눈가에 털이 많이 난 꿈은 / 허풍장이와 동업을 하게 된다.

◇ 긴 머리의 처녀나 총각을 본 꿈은 / 고집이 조금 세긴 하지만 무슨 일에든 정열적이고 솔선수범하는 협력자를 만난다.

◇ 이발소에 갔는데 자기보다 앞서 이발을 하고 있는 사람을 본 꿈은 / 회사나 어떤 단체에서 동료가 자기보다 먼저 승진을 하게 된다.

◇ 백발인 사람들이 여러명 모여 음식을 먹고 있는 광경을 본 꿈은 / 걱정거리가 생겨 괴로워하는 사람들을 만나게 된다.

8) 혀 · 입

◇ 혀가 두 개인 사람을 본 꿈은 / 거짓말을 잘 하는 사람과 사귀게 된다.

◇ 여자의 음부에 혀가 달린 것을 본 꿈은 / 사람들 앞에서 자기 주장을 과장되게 했다가 철회하게 된다.

◇ 입이 몹시 큰 사람을 만난 꿈은 / 재산이 많은 부자나 권력가 등 유명인사와 만나게 된다.

◇ 여러 가지의 물건을 한꺼번에 삼킨 꿈은 / 회사나 집안에 집기나 가재도구 등을 들여놓게 된다,

◇ 입을 벌렸는데 속에서 벌레가 나온 꿈은 / 근심걱정이 없어지고 무슨 일이든 만사 형통한다.

9) 손 · 팔 · 다리 · 발

◇ 열 손가락을 모두 사용하여 무슨 일을 했던 꿈은 / 많은 사람들이 함께 임해야 하는 일이 생긴다.

◇ 오른손을 사용하여 무슨 일을 한 꿈은 / 누구보다도 정의롭고 옳은 일을 하게 된다.

◇ 왼손을 사용하여 무슨 일을 한 꿈은 / 옳지 못한 일에 협조하고 또는 직접 일을 저지르게 된다.

◇ 의자에 앉아서 자기의 손을 본 꿈은 / 중요한 물건을 잃어버리거나 누구에겐가 모함을 받는다.

◇ 한 사람에게 여러개의 팔이 달린 것을 본 꿈은 / 많은 부하를 거느린 우두머리 격의 사람과 만나게 된다.

◇ 팔이 부러진 꿈은 / 지금껏 쌓아올렸던 세력이 깨어지거나 협조자와도 헤어지게 된다.

◇ 빠진 손목을 다시 맞춘 꿈은 / 사업상 동거동락했던 사람과 당분간 헤어질 일이 생긴다.

◇ 발바닥에서 피가 난 꿈은 / 아랫사람에게 재물상의 손해를 입게 된다.

◇ 허벅지에 총알이 박힌 꿈은 / 경쟁자에게 져서 승복을 하게 되고 그의 뜻에 따르게 된다.

◇ 다리가 천근이나 되는 것처럼 무거워서 걸을 수가 없었던 꿈은 /

자기 자신이나 직계가족에게 병이 생기거나 사업 등 모든 일이 순조롭게 진행되지 않는다.

◇ **허벅지에 총알을 맞은 처녀의 꿈은** / 혼담이 이루어진다.

◇ **학생이 허벅지에 총알을 맞은 꿈은** / 입학시험 등 각종 시험에 합격하게 된다.

◇ **유부녀가 허벅지에 총알을 맞은 꿈은** / 임신을 하게 된다.

◇ **어느 한쪽다리에 상처를 입은 꿈은** / 자신의 지난날을 평가받을 일이 생기거나 자기를 도와주던 사람이나 자손이 어떤 해를 당하게 된다.

◇ **발바닥에 빨간 물감이나 남이 흘린 피가 묻은 꿈은** / 남이 자기의 일거리를 빼앗아가거나 사업에 심한 간섭을 받게 된다.

10) 눈 · 코 · 귀

◇ **눈이 애꾸인 사람을 본 꿈은** / 균형이 잡히지 않은 일에 부딪히거나 편파적인 사람과 만나게 된다.

◇ **자기가 봉사였는데 눈을 뜬 꿈은** / 막혔던 운세가 한꺼번에 트이게 된다.

◇ **장님이었던 사람이 눈을 뜬 것을 본 꿈은** / 무슨 일을 하든지 심한 반대에 부딪혀 어려움을 겪게 된다.

◇ **눈병을 얻은 꿈은** / 사업이 잘 풀리지 않아서 고통을 받거나 집안에 좋지 않은 일이 일어나게 된다.

◇ **눈빛이 희미하고 광채가 없는 사람을 본 꿈은** / 소견이 좁은 사람과 사귀게 된다.

◇ **갑자기 장님이 되어 버린 꿈은**/하는 일이 꼬이게 되고 그로 인하여 절망에 빠지게 된다.

◇ **눈빛이 유난히 빛나는 사람을 만난 꿈은**/특출한 능력을 겸비한 사람을 만나게 된다.

◇ **눈에 티가 들어갔는데 그것을 뽑아낸 꿈은**/누구에겐가 부탁한 일이 좋게 해결되며 하는 일이 번창하게 된다.

◇ **코가 유난히 큰 사람을 본 꿈은**/물질 등 모든 면에서 풍요로운 사람과 접촉할 일이 생긴다.

◇ **코가 유난히 작은 사람을 본 꿈은**/사회적인 지위가 낮거나 가난한'사람과 관계할 일이 생긴다.

◇ **병원에 가서 자주 코를 푼 꿈은**/관공서 등에 갈 일이 생기며 그곳에서 자기의 주장을 내세울 일이 생긴다.

◇ **코를 다치게 된 꿈은**/남과 크게 싸울 일이 생기거나 누구로부터 중상모략을 입게 된다.

◇ **빨간 점이 있는 자기의 코를 본 꿈은**/어떤 일에 성공을 해서 남으로부터 우러러보이게 된다.

◇ **코를 치료받거나 수술받는 꿈은**/자신이 하는 일과 관계되는 기관에서 간섭을 하게 된다.

◇ **코가 없어져버린 꿈은**/힘들여 쌓아올렸던 명예, 권세 등이 실추될 일과 접하게 된다.

◇ **누군가를 만났는데 그의 코가 무척 커보인 꿈은**/사회적으로 존경을 받을만한 사람과 상대할 일이 생긴다.

◇ **코에 상처가 났는데 그 부위가 곪은 꿈은**/숨겼던 비밀이 폭로되거나 내세웠던 자존심이 깎이게 된다.

◇ **사람의 귀가 짐승의 귀로 바뀌어서 보이는 꿈은**/꿈속에서 본 사

람에게 모함을 당하거나 그 사람에 의해 손해를 입게 된다.

◇ **사람들의 귀가 부처님처럼 크고 복스러워 보인 꿈은**/누구에게 무슨 일을 부탁하든 선선히 승낙을 받게 된다.

◇ **갑자기 귀머거리가 돼버린 꿈은**/기다리던 소식이 끝내 오지않게 되고 누구에겐가 소식을 전하려 했던 일도 근기하게 된다.

◇ **상대방의 귀가 유난히 탐스러워 보인 꿈은**/자신에게 호의를 갖고 접근하는 사람이 갑부일 가능성이 크다.

◇ **남의 귀를 잘라버린 꿈은**/원만하던 사이의 사람과 싸울 일이 생기고 그로 인해 자신이 손해를 보게 된다.

◇ **여러 갈래로 찢어진 귀를 달고 다니는 사람을 본 꿈은**/꿈 속에서 봤던 사람에 의해 물질적인 손해를 입거나 정신적으로 큰 피해를 입게 된다.

11) 등 · 배 · 유방 · 가슴

◇ **누구에겐가 업힌 꿈은**/무엇이든지 믿고 맡길 수 있는 사람과 접하게 된다.

◇ **차를 탄 사람의 등을 본 꿈은**/자신의 뜻에 무조건 복종하는 사람을 만나게 된다.

◇ **누군가의 배를 갈라 죽인 꿈은**/하고 있는 사업이 성공을 거두고 숨기고 있었던 무엇인가를 만천하에 공개할 일이 생긴다.

◇ **배가 무척 부른 임산부를 본 꿈은**/뜻하지 않았던 재물이 생기거나 기발한 아이디어가 떠올라 응용할 수 있게 된다.

◇ **배를 가르고 내장을 꺼낸 꿈은**/어떤 일의 제일 중요한 일을 맡

아 하거나 또는 그 일을 감독, 관리하게 된다.

◇ **유방이 드러난 그림이나 사진, 조각품 등을 본 꿈은** / 멀리 떨어져 있는 사람의 소식을 듣거나 사진, 편지 등을 받게 된다.

◇ **여자의 유방을 거칠게 애무한 꿈은** / 직계가족이나 가까운 사람과 싸울 일이 생기며 부모에게 불효한 일까지 겹친다.

◇ **유난히 큰 여자의 유방을 봤는데도 성적 충동이 전혀 일지 않았던 꿈은** / 오래 떨어져 있던 형제 · 자매를 만나거나 어떤 소식을 듣게 된다.

◇ **어린아이가 아닌데도 어머니의 젖을 빨아먹은 꿈은** / 조상의 유산을 물려받거나 뜻하지 않은 금전적 도움을 받을 일이 생긴다.

◇ **어린아이가 자기의 젖을 빨아먹은 꿈은** / 자본을 투자하면 그만한 성과를 볼 일과 접하게 된다.

◇ **처음 본 여자에게 칼로 가슴을 찔린 꿈은** / 무슨 병엔가 걸려 수술할 일이 생긴다.

◇ **가슴을 풀어헤친 여자를 본 꿈은** / 가까운 사람 중 누군가가 위험에 직면하게 되고 그 위험을 처리해주게 된다.

◇ **가슴에 훈장을 단 자신의 사진을 본 꿈은** / 자기가 발표한 작품에 대해 좋은 평가를 받게 된다.

◇ **괴한이 가슴에 압박을 가해 몹시 괴로워했던 꿈은** / 질병에 걸리거나 가까운 사람이 괴로움에 시달리게 된다.

◇ **가슴에 훈장을 단 꿈은** / 많은 사람들에게 자신의 솜씨나 실력을 과시할 일이 생긴다.

◇ **누군가의 가슴을 강하게 때리거나 칼로 찌른 꿈은** / 경쟁자의 사업체나 하는 일의 중심부에 타격을 주어 자기의 하는 일이 이득을 보게 된다.

제 2 장
동물에 관한 꿈

1) 돼 지

◎ **돼지를 파는 꿈은**/자기 소유의 물건을 잃어버리거나 남에게 일거리를 빼앗기게 된다.

◎ **돼지고기를 상식 이상으로 많이 사는 꿈은**/뜻하지 않은 많은 재물을 얻게 된다.

◎ **돼지새끼를 사는 꿈은**/적은 돈을 얻지만 그 돈을 이용하여 큰 재물을 만들 수 있다.

◎ **돼지와 방에서 싸우다 돼지의 목을 누르는 꿈은**/사업을 일으키거나 재물을 소유하며 경쟁, 재판 등의 시비가 있으나 승리한다.

◎ **멧돼지를 잡는 꿈은**/대학입학, 고시합격, 권리확보 등이 뜻대로 성사된다.

◎ **돼지고기를 먹은 꿈은**/따분하고 답답한 일에 종사하게 된다.

◎ **돼지새끼를 쓰다듬은 후 아이를 낳은 꿈은**/이것이 태몽이라면 재물이 많은 자식을 낳겠지만 그 자식으로 인해서 마음 고생을 한다.

◎ **돼지 한 마리가 갑자기 여러 마리로 변하는 꿈은**/재물이 생기며

사업이 번창한다. 연구하는 직업을 가진 사람은 좋은 결실을 맺게 된다.

◇ **돼지머리를 제사상에 올려 놓은 꿈은**/ 자신의 작품 등을 제3자에게 칭찬받거나 누구에겐가 물질적인 보답을 받게 된다.

◇ **돼지를 차에 가득하게 실어다 우리에 넣은 꿈은**/ 뜻하지 않은 재물이 들어 온다.

◇ **황소만한 돼지가 가는 곳마다 따라오는 꿈은**/ 재산이 많은 사람의 도움을 받아 경제적으로는 풍족하지만 심적 부담을 느끼게 된다. 돼지가 옆에서 따라오면 하는 일마다 실패가 없으며 남이 부러워할 정도로 순탄한 길을 걷게 된다.

◇ **멧돼지 수십 마리가 한꺼번에 몰려오는 꿈은**/ 직계가족, 일가친척 중에 자식을 낳은 사람이 있으며 그 자손의 앞날은 밝다.

◇ **돼지가 우리 밖으로 뛰쳐나가는데도 붙잡지 못한 꿈은**/ 하는 일이 심하게 꼬이거나 물질적인 손해를 보게 된다.

◇ **여러 마리의 돼지새끼를 낳아 그 돼지가 자라서 우리 안에 가득찬 꿈은**/ 부동산이나 증권 등에 투자한 돈이 몇배로 불어날 조짐이 있다.

◇ **맹수 이상으로 사나운 돼지가 갑자기 방에서 사람으로 변하는 꿈은**/ 상대하는 사람의 겉과 속이 다를 수가 있다.

◇ **죽은 돼지를 어깨에 걸머지고 오는 꿈은**/ 가정에 화근이 생긴다.

◇ **돼지를 차에 싣고 오거나 등에 지거나 몰고오는 꿈은**/ 명예를 얻거나 돈이 생긴다.

◇ **돼지새끼를 실어다가 집 마당에 풀어 놓는 꿈은**/ 많은 상품 또는 재물이 생기지만 빛좋은 개살구격이다.

◇ **돼지의 엉덩이를 칼로 찌르고 목을 쳐서 죽인 꿈은**/ 무슨 일을

하는데 시작은 잘 했으면서도 결과가 신통치 않다.

◇ **돼지를 사다가 잡아서 파는 꿈은** / 재물을 잃거나 다른 사람에게 주게 된다.

◇ **멧돼지가 사람을 물려고 덤벼드는 것을 죽인 꿈은** / 힘들고 어려운 일이나, 적의 침입을 막을 수 있다.

◇ **돼지머리를 삶아서 칼로 썰어 그 일부를 감추어 둔 꿈은** / 사업상의 장부를 위조해 세금의 일부를 급한 곳에 활용할 수도 있다.

◇ **죽여야 할 돼지나 싸워야 할 돼지가 갑자기 사람이 되는 꿈은** / 경쟁상대가 우세해지거나 동정 · 실의 등으로 매사에 좌절하게 된다.

◇ **여러가지 색깔의 돼지새끼들이 태어나는 것을 보고 출산한 꿈은** / 직계가족 중에서 이별을 하거나 자손들이 제각기 다른 사업에 손을 대게 된다.

◇ **돼지 여러 마리가 교미하고 있는 꿈은** / 하는 일이 번창하거나 축하금을 받을 일이 생긴다.

◇ **돼지를 통채로 구워서 잘라 먹은 꿈은** / 논문 · 작품 등에 좋은 평가가 내려져서 많은 사람들로부터 축하를 받게 된다.

◇ **돼지의 크기와 수효가 정비례한 꿈은** / 재물이 생기게 된다.

◇ **돼지우리에서 소변을 보는데 돼지새끼들이 한꺼번에 몰려와서 받아 먹는 꿈은** / 여러 작품을 유명인에 의해서 평가받게 된다.

◇ **가까운 친척 중의 한사람이 돼지를 몰고오는 꿈은** / 직계가족 중의 한사람이 가까운 시일 내에 돈을 가져온다.

2) 개

◎ **개들끼리 서로 싸우는 꿈은**/어떤 사람이 헐뜯고 비난하는 것을 참견하다 오히려 화를 입는다.

◎ **개가 손을 물고 놓지 않는 꿈은**/작품, 능력 등을 평가받을 일이 생긴다.

◎ **개를 죽이는 꿈은**/하고자 하는 일이 성사되며 남에게 폐를 끼친 것을 갚게 된다.

◎ **해질 무렵에 개가 달려가는 것을 본 꿈은**/탐정, 기자, 취재 등의 일에 종사하는 사람들은 능력을 발휘할 수 있다.

◎ **개에게 물려서 흉터가 남는 꿈은**/주어진 일이 성사되며 물린 자리에서 피가 나면 가까운 사람에게 화를 입는다.

◎ **개를 따라다니는 꿈은**/상대방에게 부탁한 일을 해결 못해서 제 3자를 통해서 해결을 보게 된다.

◎ **개가 두 발로 서서 움직이는 꿈은**/아는 사람이 자기를 인신공격하거나 구타할 일에 직면한다.

◎ **집을 나갔던 개가 다시 찾아와서 기뻐하는 꿈은**/생각지도 못했던 곳에서 소식이 온다.

◎ **개가 사납게 짖어 집 안으로 못들어 갔던 꿈은**/들어가야 할 곳을 들어가지 못해서 난처한 입장에 처하게 된다.

◎ **어느 집을 방문했을 때 개에게 물리는 꿈은**/자기가 하고 있는 일이 잘 풀리게 된다.

◎ **개를 잡아서 먹은 꿈은**/자본금을 마련해서 사업에 돌입하거나 빌려준 돈을 못받게 된다.

◇ **남의 집 개가 자기 집에 접근하려했던 꿈은** / 새로운 소식을 듣거나 나쁜 영향을 끼칠 사람이 나타난다.

◇ **개가 귀여워 쓰다듬어 준 꿈은** / 가까운 친척이 큰 실수를 저지르게 된다.

◇ **남의 집 개와 자기 집 개가 함께 놀고 있는 꿈은** / 집안 식구 중 한 사람이 어느 단체에 가입하거나 무뢰한들과 공모할 일이 생긴다.

◇ **사나운 개가 물려고 덤벼들거나 여러 마리가 한꺼번에 덤벼드는 꿈은** / 신변에 위험한 일이 일어나거나 남의 시비를 받는다.

3) 원숭이 · 고양이

◇ **원숭이가 높은 곳으로 기어 오르는 꿈은** / 하고 있는 일이 잘된다. 원숭이가 위에서 내려다보면 헤어진 사람이 자기 주위를 항상 맴돌고 있다.

◇ **원숭이 귀가 떨어져 나간 꿈은** / 나쁜 근성을 가진 사람과 인연이 끊어지게 된다.

◇ **원숭이끼리 서로 싸우고 있는 꿈은** / 문화생활을 즐기거나 자기 일에 간섭하는 사람을 책망한다.

◇ **고양이가 쥐를 잡는 꿈은** / 수사관인 경우는 범인을 잡거나 처리 안되고 보류 되었던 일은 풀린다.

◇ **고양이가 집을 뛰쳐 나가는 꿈은** / 데리고 있는 사람을 해고시키거나 물건을 분실한다.

◇ **고양이를 잡아 죽이는 꿈은** / 모든 일이 순조롭게 해결된다.

◇ **고양이와 강아지가 함께 있는 꿈은** / 성격이 안 맞는 사람과 가까

이 있어야 할 일이 생긴다.

◇ **닭장을 들여다보는 고양이를 본 꿈은**/자신에게 손해를 끼칠 사람이 나타나거나 재산을 보호해 줄 고용인을 채용하게 된다.

◇ **고양이를 귀여워 해주는 꿈은**/사람을 품에 안을 일이 생기며, 힘든 일을 맡게도 된다.

◇ **호랑이라고 생각했는데 자세히 살펴 보니 고양이가 있는 꿈은**/가치가 있다고 생각한 물건이 사실은 가치가 없다.

◇ **고양이와 개가 서로 할퀴고 싸우는 꿈은**/세력 다툼을 하거나 공박하는 일에 관계한다.

◇ **고양이의 눈이 반짝거리는 꿈은**/창작품, 학설 등이 뚜렷한 이미지를 나타내어 사람들에게 감동을 준다.

4) 물고기

◇ **낚시줄이 길게 늘어져 있는 꿈은**/계획한 일을 착수하면 결과가 빠른 시일에 나타난다.

◇ **물고기들이 죽어서 연못에 있는 꿈은**/재난, 유행병, 전쟁 등으로 화를 입는다.

◇ **물고기를 저수지에서 많이 잡는 꿈은**/남에게 도움을 받을 어려운 일이 생긴다.

◇ **물고기를 시장에서 사는 꿈은**/노력의 댓가, 융자 등을 받게 된다.

◇ **여러가지 빛깔의 물고기를 치마로 받는 꿈은**/인기인이 되어 사회적으로 유명하게 될 아이가 태어날 태몽이다.

◇ 말라가는 저수지나 흙탕물 속에서 많은 물고기를 잡는 꿈은 / 정당하지 못한 행위로 재물을 모으게 된다.

◇ 낚시질을 해서 싱싱한 물고기가 걸리는 꿈은 / 계획하고 있는 일이 성사된다.

◇ 배를 타고 나가서 그물로 많은 물고기를 잡는 꿈은 / 남을 통해서 일확천금의 꿈이 실현된다.

◇ 저수지 등에 물이 말라 물고기가 보이거나 물고기가 다른 동물로 변하는 꿈은 / 생활 환경이나 신상에 나쁜 변화가 생긴다.

◇ 물고기가 알을 낳는 꿈은 / 소원성취가 되며 재물이 늘어난다.

◇ 물고기를 고르는 꿈은 / 어떠한 작품을 심사하거나 재물의 분배가 있게 된다.

◇ 우물이나 연못에 잉어를 넣는 꿈은 / 하는 일이 번창하거나 크게 출세한다.

◇ 하늘에서 떨어지는 조개를 받아 먹는 꿈은 / 공적으로 재물을 얻는다.

◇ 강변에 있는 방게가 깜짝 놀라 숨어 버리는 꿈은 / 일은 크게 벌리지만 실속이 없다.

◇ 저수지에서 많은 물고기를 잡는 꿈은 / 공적인 공금은 되도록 손을 안대는 것이 좋다.

◇ 자신이 물고기가 되어 바닷물에서 마음대로 헤엄치는 꿈은 / 연구, 탐험, 추리, 출세 등을 하게 된다.

◇ 게를 논두렁에서 잡는 꿈은 / 생각지도 않았던 재물이 생긴다.

◇ 조개를 까서 그릇에 담는 꿈은 / 작품을 논하거나 청탁을 받는다.

◇ 물이 없는 개울이나 산에서 조개를 줍는 꿈은 / 어떤 재물을 얻거

나 학설에 관한 것을 수집하게 된다.

◈ 물고기를 토막내서 누구에겐가 주는 꿈은 / 사업 자금을 나누어 받거나 생각지도 못했던 곳에서 돈을 얻는다.

◈ 폭포 위로 잉어가 뛰어오르는 꿈은 / 사업이 번창하여 사람들을 놀라게 한다.

◈ 바위 틈에서 잡은 물고기가 두 토막이 나는 꿈은 / 하고 있는 일이 타인에 의해서 가치가 없어진다.

◈ 어항에 있는 물이 마르거나 어항이 깨지는 꿈은 / 행복, 재물 등이 깨지고 아는 사람 중에 병들거나 하고 있는 일이 침체된다.

◈ 조개에서 진주가 나온 꿈은 / 만사형통 할 운수이다.

◈ 장어같은 종류의 미끄러운 물고기를 잡는 꿈은 / 취직, 입학시험, 혼담 등이 이루어진다.

◈ 어항 속의 금붕어를 가만히 들여다 보고 있는 꿈은 / 많은 직공을 거느리는 기업가가 될 아이가 태어날 태몽이다.

◈ 많은 조개를 잡는 꿈은 / 임신한 사람은 여아를 낳기 쉽다. 아기가 장차 많은 재물, 사업체, 창작물 등을 성취시킬 사람이 된다.

◈ 배의 갑판으로 물고기가 뛰어오르는 꿈은 / 사람을 구하거나 횡재할 일이 생긴다.

◈ 맑은 물이 고인 논바닥에 물고기 떼가 놀고 있는 꿈은 / 하고 있는 일의 성과를 기대할 수 있다.

◈ 낚시질을 해서 물고기를 잡는 꿈은 / 아이디어를 개발해서 돈을 벌거나 일거리를 얻게 된다.

◈ 물고기가 지하실이나 방안에서 노는 꿈은 / 경제적으로 풍족한 사람이 될 태몽이다.

◇ 방게가 해변가에서 기어다니는 꿈은 / 사업상의 거래처를 많이 확보할 수 있다.

◇ 물고기를 반두질해서 잡는 꿈은 / 돈을 한꺼번에 벌지않고 여러번 나누어 벌 일이 생긴다.

◇ 강물 속에서 여러 마리의 물고기가 헤엄치는 꿈은 / 계약이 성사되거나 사람을 양성할 수 있는 일이 있다.

◇ 어물, 포육 등의 마른반찬을 얻거나 사오는 꿈은 / 재물, 증서, 책 등이 바뀔 수가 있다.

◇ 게 한보따리를 방으로 가지고 들어가는 꿈은 / 세일즈맨이 자기를 찾아온다.

◇ 물이 담긴 그릇에 잉어를 집어넣는 꿈은 / 창작 작품으로 많은 사람들에게 인정을 받는다.

◇ 해변이나 개천에서 많은 조개를 잡는 꿈은 / 미혼녀는 혼담이 오가고, 자기가 개발한 창작물을 남에게 보여줄 기회가 생긴다.

5) 용

◇ 하늘에서 용이 내려오는 꿈은 / 권세, 지위, 명성 등이 몰락하고 힘든 일이 성사되기도 한다.

◇ 용을 두팔로 꼭 껴안고 있는 꿈은 / 일거리가 많이 들어오고, 뜻밖의 사람을 만나게 된다.

◇ 용이 바다에서 승천하는 꿈은 / 사회적 기반으로 인하여 성공할 발판이 마련된다.

◇ 용을 타고 하늘을 날으는 꿈은 / 권세가가 되며 시험합격, 소원성

취 등이 이루어진다.

◇ **화재가 난 집에서 용이 승천하는 꿈은** / 하고 있는 일이 날로 번창해서 세인의 이목을 받는다.

◇ **구름 속의 용이 큰소리로 울부짖는 꿈은** / 사업에 크게 성공하여 사람들을 놀라게 한다.

◇ **승천하려는 용의 꼬리를 붙잡았다가 놓치는 꿈은** / 꼬이기만하던 일이 풀리게 되고 출세할 사람과 만나게 된다.

◇ **용이 대문으로 들어오는 꿈은** / 귀한 사람이 찾아오거나 하는 일이 순조롭게 풀린다.

◇ **용이 물 속에서 자는 꿈은** / 어떤 기관에 소속되어 있는 일을 관계하거나, 금은보화를 얻게 된다.

◇ **무기를 사용해서 용을 죽이는 꿈은** / 장애물을 제거하고 하고자 하는 일을 성취하게 된다.

◇ **용이 사람을 물어죽이는 꿈은** / 권세가에 의해서 일이 성사되거나 반대로 어떤 사람의 파탄을 보게 된다.

◇ **용이 승천하는데 희미하게 보이는 꿈은** / 한때 세인의 주목을 받지만 곧 잊혀지게 된다.

◇ **이무기가 용이 되어 구름 속에서 불덩이 두개를 떨어뜨린 꿈은** / 자손이 크게 성공해서 세상을 놀라게 하고 업적을 남길 것이다.

◇ **용의 조각품이나 문신을 보는 꿈은** / 세상이 널리 아는 사람들의 기사를 읽거나 희귀한 서적이나 물건을 보게 된다.

◇ **쌍룡이 몸을 꿈틀거리며 승천하는 꿈은** / 자손이 문무겸비한 훌륭한 인물이 되고, 남녀의 결합을 나타낸다.

◇ **용과 싸우다 쫓기는 권세가의 꿈은** / 뜻한대로 일이 이루어지지

않는다.

◎ **하늘을 나는 용이 말을 하거나 우는 꿈은** / 세상에 소문낼 일이나 업적 등이 있다.

◎ **용을 붙잡고 꼼짝 못하게 하는 꿈은** / 자신의 사업 성장을 위해서 고군분투한다.

◎ **공중에서 용이 담배를 피우는 꿈은** / 단체, 기관, 매스컴을 통해서 자신의 활동을 알리며 사회풍조를 쇄신할 일이 생긴다.

◎ **짐승이나 사람의 모습으로 변한 용이 도전을 해오는 꿈은** / 사업을 하는데 어려운 고비를 여러번 겪은 다음에 일이 성취된다.

◎ **용이 불을 뿜어 몸이 뜨겁게 느껴지는 꿈은** / 권력자의 협조를 받아 하는 일이 쉽게 풀린다.

◎ **울안에서 헤매는 용을 보는 태기가 있는 꿈은** / 자손이 초년에는 발전이 있으나 중도에 장애물이 생겨 빛을 못본다.

6) 곤충류

◎ **많은 꿀벌이 달아나는 꿈은** / 주위에 있는 사물이 흩어진다.

◎ **파리가 몸에 붙어서 떨어지지 않는 꿈은** / 어떤 장애물로 인하여 시달림을 받는다.

◎ **여러 마리의 나비가 떼지어 날으는 꿈은** / 집안에 경사스러운 일이 있다.

◎ **자신에게 벌떼가 덤벼드는 꿈은** / 다른 사람으로 인해 시달림을 받거나 근심걱정이 생긴다.

◇ **고추잠자리가 무리져서 날으는 꿈은**/귀한 사람을 만나 좋은 일이 생긴다.

◇ **팔다리에 개미떼가 새까맣게 모여있는 꿈은**/남에게 도움을 청할 일이 있다.

◇ **지네에게 물리는 꿈은**/투자나 융자 받을 일이 생긴다. 그리고 말린 지네를 많이 가지고 있으면 재물이 생긴다.

◇ **벌통에 꿀이 많은 것을 본 꿈은**/뜻밖의 재물이 들어온다.

◇ **빈대 때문에 잠을 제대로 못자는 꿈은**/장애요인이 되는 사람 때문에 세웠던 계획을 변경하게 된다.

◇ **송충이가 몸에 달라 붙는 꿈은**/ 큰 화를 면치 못한다.

◇ **파리를 나르고 있는 개미를 본 꿈은**/아는 사람이 자기의 일을 도와준다.

◇ **거미떼가 마구 덤비는 꿈은**/사람에게 시달림을 받거나 화를 면치 못한다.

◇ **딱정벌레가 양쪽 다리에 빈틈없이 붙어 있는 꿈은**/세일즈맨이 보험 가입 신청서나 증권 등에 관한 일로 찾아온다.

◇ **개미집을 헐어 버리는 꿈은**/가정에 화근이 생긴다.

◇ **여러곳에 거미줄이 엉켜있는 꿈은**/사업이 전개된다. 그러나 방구석이나 천정 등에 엉켜 있으면 머리가 아프거나 운세가 막힌다.

◇ **벼룩이 갑자기 없어진 꿈은**/잡고 있는 것을 놓치기 쉽다.

◇ **나비 여러 마리가 별이 떨어진 주위를 날으는 꿈은**/자손이 여러 사람과 깊은 인연을 맺는다.

◇ **천정에 붙어있는 파리떼를 죽이거나 날려 보내는 꿈은**/근심 걱정이 말끔히 해소된다.

◇ 험한 곳으로 달팽이가 기어오르는 꿈은 / 하고 있는 일이 고비를 겪는다.

◇ 반딧불을 본 꿈은 / 일이 잘되는 것 같으면서 제대로 풀리지가 않는다.

◇ 거리에 파리떼가 무수히 모여있는 꿈은 / 인쇄물 등에 관계할 일이 생기나 결과는 썩 좋지 않다.

◇ 개미떼가 이동하는 꿈은 / 재물이 생기거나 물건을 생산한다.

◇ 많은 벌이 나무에 매달려 있거나 벌이 벌집을 드나드는 꿈은 / 인력을 많이 필요로 하는 사업을 한다.

◇ 곤충을 거미줄에서 떼어주는 꿈은 / 어려움에 처해 있는 사람을 도와준다.

◇ 큰 말벌을 손으로 잡는 꿈은 / 약속이 이루어진다.

◇ 누에를 많이 사육하는 꿈은 / 재물이 생기고, 누에고치를 만드는 꿈은 건설, 결혼 등이 이루어진다.

◇ 송충이가 부엌에서 따라다니는 꿈은 / 자손이 착하고 정직한 사람으로 부모님에게 효도한다.

◇ 바퀴벌레를 모두 잡아 자루에 넣는 꿈은 / 정보를 수집하거나 어느 단체의 중임을 맡게 된다.

◇ 하늘에서 벌떼가 떼지어 날아다니는 꿈은 / 자기를 다른 사람에게 내세운다.

◇ 거미줄에 매달린 거미를 본 꿈은 / 누군가가 자기와 관련한 계교를 부리고 있다.

◇ 거미가 먹이를 감고 있는 꿈은 / 재물이 생기거나 심복을 얻는다.

◇ 양쪽 다리에 거머리가 붙어있는 꿈은 / 많은 재물이 생겨 인력을

필요로 할 일이 생긴다.

◇ **벌에게 쏘인 꿈은** / 질병에 걸리거나, 작품에 대해서 평가를 받을 일이 생긴다.

7) 사슴 · 노루 · 여우 · 늑대 · 너구리

◇ **여우를 쫓아가서 잡는 꿈은** / 공공단체에서 인정을 받는다.

◇ **늑대가 산골짜기에서 사납게 노려보고 있는 꿈은** / 제3자에 의해서 심판을 받게 된다.

◇ **사슴뿔을 구하는 꿈은** / 재물, 학설 등을 얻게 되고 자신을 평가받게 된다.

◇ **너구리를 잡아 물에 끓였더니 엄청나게 양이 불어난 꿈은** / 다른 사람의 과장된 말을 듣거나 하고 있는 일이 고비를 겪는다.

◇ **깊은 산 속에서 사슴을 잡는 꿈은** / 공공단체나 기업체에 가입하게 된다.

◇ **여우를 죽이는 꿈은** / 뜻하지 않은 재물이 생긴다.

◇ **어둑한 곳에서 여우를 만나 놀라는 꿈은** / 다른 사람으로 인해서 불안을 느낀다.

◇ **너구리 털을 얻거나 붙잡는 꿈은** / 어떤 단체에서 일거리나 재물을 준다.

◇ **여우가 닭을 물어가는 꿈은** / 꾀가 많은 사람에게 당한다.

◇ **여러 사람과 함께 사슴을 쫓아가서 자신이 잡는 꿈은** / 단체 행동을 해서 자신이 인정을 받는다.

◇ 사육하는 짐승을 늑대가 물어서 죽이는 꿈은 / 뜻하지 않은 사람에 의해 일이 쉽게 풀린다.

◇ 사슴을 죽이는 꿈은 / 소원성취가 이루어진다.

◇ 저녁에 여우 울음소리가 들리는 꿈은 / 불길한 소식을 듣게 된다.

8) 바다동물 · 수륙양서동물

◇ 거북의 목덜미를 잡은 꿈은 / 소속되어 있는 집단의 일이 풀리게 된다.

◇ 몰려오는 상어떼를 본 꿈은 / 괴한들이 방해를 놓거나 여러 사람의 시비를 받는다.

◇ 악어떼를 차례로 한마리씩 쳐죽이는 꿈은 / 풀리지 않던 일이 하나하나 해소되고 재물이 생긴다.

◇ 물에서 나온 물개를 도구로 쳐서 죽인 꿈은 / 어떤 사업체나 기관에서 장애물이 되는 것을 제거하게 된다.

◇ 거북이가 앞장서서 뱃길을 따라 가는 꿈은 / 타인의 도움을 받아 하고 있는 일이 번창해진다.

◇ 고래등을 타고 달리는 꿈은 / 교통수단을 이용하거나 어느 단체의 주도자가 된다.

◇ 거북을 쫓아가다가 잡지 못한 꿈은 / 치밀한 계획을 세우지만 뜻대로 이루어지지 않는다.

◇ 논둑에서 개구리가 울고 있는 꿈은 / 일을 추진하는데 여러 사람의 시비를 받는다.

◇ 물개를 붙잡는 꿈은 / 많은 재물이 생기고, 물개가 가까이 오는 꿈

은 단체에 가입하거나 사람과 만나게 된다.

◇ **도마뱀이 자신을 물고 있는 꿈은** / 계획하고 있는 일이 정리가 제대로 안된다.

◇ **거북이가 거처하고 있는 곳에 들어간 꿈은** / 부귀영화를 누린다.

◇ **고래떼가 몰려와서 배를 뒤엎은 꿈은** / 하고 있는 일이 위태롭거나 파산된다.

◇ **황소만한 도마뱀을 본 꿈은** / 권력자와 만나게 되고 거래, 사업 등이 이루어진다.

◇ **거북을 죽인 꿈은** / 장애물없이 일이 성사된다.

◇ **뱀과 같은 연체동물에게 몸이 감긴 꿈은** / 얽혔던 일이 풀린다.

◇ **두꺼비나 맹꽁이가 거리에서 돌아다닌 꿈은** / 줏대없는 사람을 만나거나 신통치 않은 일이 생긴다.

◇ **거북의 몸을 도구로 쳐서 피가 흐르는 꿈은** / 남에게 도움을 받거나 일이 성사된다.

◇ **상어에게 다리를 잘린 꿈은** / 가까운 곳에 있는 사람을 잃게 된다.

◇ **음침한 곳에 도마뱀이 우글거리는 꿈은** / 자신의 능력을 남에게 과시한다.

◇ **도룡뇽의 알을 먹는 꿈은** / 지식을 얻거나 창작물을 발표한다.

◇ **밖으로 나왔던 물개가 다시 물로 들어간 꿈은** / 광범위한 사회활동을 하다가 몇 번의 고비를 맛본 다음 다시 유복해진다.

◇ **인어를 붙잡아온 꿈은** / 이것이 태몽이라면 자손이 이색적인 직업을 갖게 된다.

◇ **고래 뱃속으로 사람이 들어간 꿈은** / 진급이 되거나 많은 재물을

얻는다.

◇ **물고기이 발이 무수히 많이 달린 꿈은**/능력, 권력, 재주 등이 강대한 사람을 만나게 된다.

◇ **맹꽁이 암수가 붙어 울고 있는 꿈은**/같이 일하는 사람과 시비가 생기거나 재수없는 일을 당한다.

◇ **뱃길을 고래가 앞장 선 꿈은**/도움을 받을 사람이 있어서 일이 쉽게 추진된다.

◇ **자라가 거북이로 변해 옆에 있는 꿈은**/적은 자본으로 큰 소득을 얻는다.

◇ **거북이 등을 타거나 가까이 대하는 꿈은**/이것이 태몽이라면 권력자, 기관장 등이 되어 부귀를 누린다.

9) 소

◇ **죽은 소를 묻으려고 하는 꿈은**/집안에 화근이 생긴다.

◇ **밖으로 뛰쳐나간 소를 잡지 못한 꿈은**/믿었던 사람이 배신하거나 재물의 손실을 가져온다.

◇ **외양간에 매어진 소가 머리를 밖으로 향한 꿈은**/집안에 있는 사람이 오래 머물러 있지 않는다.

◇ **여러 사람이 소의 등을 타고가는 꿈은**/여러 사람과 협조할 일이 있다.

◇ **소를 팔고 사는 꿈은**/집안식구, 사업, 재물 등이 바뀐다.

◇ **소에게 받힌 꿈은**/신임하고 있던 사람에게 배반당하거나 정신적

인 고통을 받는다.

◇ **자신을 보고 소가 웃는 꿈은**/관계하고 있는 사람들이 서로 다투거나 나쁜 일이 생긴다.

◇ **소가 논두렁이나 함정에 빠져 있는 것을 구해준 꿈은**/가까운 곳에 있는 사람들이 병들거나 모함에 빠지고, 기울던 가산, 사업 등을 구해낸다.

◇ **소를 자신이 죽인 꿈은**/사업이 잘 풀린다.

◇ **아픈 사람이 깊은 산속으로 소를 끌고 들어간 꿈은**/사람을 잃거나 재물의 손실을 가져온다.

◇ **많은 소가 목장에서 평화롭게 놀고 있는 꿈은**/많은 사람을 대하거나 일거리가 생긴다.

◇ **소를 팔러간 꿈은**/집, 고용인, 재물 등을 잃게 되거나 다른 사람에게 빌려준 물건을 찾기가 힘들다.

◇ **성난 소가 뒤쫓아와 도망친 꿈은**/사업상의 일이나 책 등을 접하게 된다.

◇ **누런 암소가 검정 송아지를 낳은 꿈은**/이것이 태몽이라면 자손이 여러 사람과 자주 다툰다.

◇ **황소 여러 마리가 매어져 있는 꿈은**/이것이 태몽이라면 자손이 많거나, 자수성가할 인물이다.

◇ **소를 기르는 꿈은**/집안식구나 협조자가 방황하게 된다.

◇ **소뿔에서 피가 흐르는 것을 본 꿈은**/진급이 되거나 학술 등으로 세인들의 관심을 받게 된다.

◇ **소뿔이 잘 생기고 털에 윤기가 있는 것을 본 꿈은**/좋은 사람을 만나고 뛰어난 작품을 접하게 된다.

◎ **소의 다리를 묶어 매단 것을 본 꿈은** / 자신을 내세워 내면의 모든 것을 남에게 보여준다.

◎ **소가 수레를 끌고 가는 꿈은** / 많은 사람과 협력하여 하고자 하는 일이 이루어진다.

◎ **소를 타고 거리를 나가는 꿈은** / 공공단체나 협조자에 의해서 일이 잘 추진된다.

◎ **짐을 가득 실은 소가 지쳐 있는 꿈은** / 하고 있는 일이 너무나 힘들어서 고통을 받는다.

◎ **많은 사람이 쇠고기를 자르는 꿈은** / 물건을 서로들 나누어 가지려다 시비가 생긴다.

◎ **소의 털이 여러 가지 빛깔을 띤 꿈은** / 사람, 재물, 작품 등이 여러 가지의 특성을 나타내지만 탐탁하지 못하다.

◎ **소에다 쟁기를 매고 농사일을 하고 있는 꿈은** / 어떤 사람 또는 협조자를 시켜 일을 추진한다.

◎ **자신이 소를 이끌고 산에 오른 꿈은** / 자신을 내세울 일이 있거나 재물이 생긴다.

◎ **목부가 여러 마리의 소를 몰고 앞으로 향하는 꿈은** / 단체의 주도권을 잡거나 재물이 한 곳으로 모인다.

◎ **분뇨를 보는 소 꿈은** / 물심양면으로 성과가 좋다.

10) 쥐 · 토끼 · 족제비 · 염소 · 양

◎ **토끼가 새끼를 낳고 있는 꿈은** / 많은 재물이 생기거나 어떠한 일

에 몰두하게 된다.

◇ **창고에 쌓아 둔 곡식을 쥐떼들이 먹어 치운 꿈은**/ 하고 있는 일이 크게 번창한다.

◇ **박쥐에게 물린 꿈은**/ 자기에게 직분이 주어진다.

◇ **양을 한꺼번에 몰아다 집에다 매놓은 꿈은**/ 좋은 사람이 들어오고, 재물을 얻기도 한다.

◇ **양떼를 몰고 다닌 꿈은**/ 성직자, 교육자 등이 되거나 인재를 양성하는데 종사한다.

◇ **토끼장에서 토끼가 나오려고 하는 꿈은**/ 소속되어 있는 곳에서 나오려고 한다.

◇ **풀을 뜯고 있는 양을 본 꿈은**/ 자기 일에 충실함을 나타낸다.

◇ **산토끼가 숲 속이나 바위 속으로 몸을 숨긴 꿈은**/ 좋은 일이 있을 뻔하다가 말고, 하고 싶지 않은 일을 접하게 된다.

◇ **방안에 들어가 있는 쥐를 잡으려 하는 꿈은**/ 정당하지 못한 자를 가려내고, 일의 협조자를 만난다.

◇ **많은 토끼들이 들판에서 노는 꿈은**/ 맡고 있는 일을 활동적으로 추진해 나간다.

◇ **쥐가 다른 형태로 변한 꿈은**/ 장애물 없이 하고 있는 일이 순리대로 풀려나간다.

◇ **잡으려던 쥐가 쥐구멍으로 도망친 꿈은**/ 계획했던 일이 제대로 풀리지 않는다.

◇ **다람쥐가 나무에 오르는 꿈은**/ 권위를 남앞에 내세운다.

◇ **쥐구멍에서 쥐가 머리를 내민 모습이 인상적으로 보인 꿈은**/ 자기에게 관심을 가지고 지켜보는 사람이 있다.

◇ **음식을 먹어 치우는 쥐떼를 본 꿈은** / 하는 일이 뜻대로 되지 않고 몇 번의 고비를 겪는다.

◇ **산등성이의 구멍에 쥐가 들어있는 꿈은** / 자신이 맡고 있는 일이 세인의 관심의 대상이 된다.

◇ **박쥐가 덤벼든 꿈은** / 원인을 알 수 없는 병증세가 나타난다.

◇ **토끼장에서 많은 토끼를 기르는 꿈은** / 일을 여러 가지로 해보거나 어느 단체에서 사람들이 직무에 종사함을 본다.

◇ **쫓기는 쥐를 때려잡는 꿈은** / 약삭빠른 사람을 설득시켜 일을 성사시킨다.

◇ **양의 젖을 짜는 것을 본 꿈은** / 하고 있는 일이 잘 되어서 재물이 생긴다.

◇ **쥐가 물건을 쏠아 먹거나 물체 밑을 파는 꿈은** / 큰 일을 시작하거나 단체활동에 가입한다.

◇ **족제비를 붙잡거나 몸으로 부딪힌 꿈은** / 이것이 태몽이라면 영리하고 재주 있는 자손을 낳는다.

◇ **실험용 흰 쥐가 우리에 있는 꿈은** / 갖가지의 물건을 손에 넣을 수 있는 일이 생긴다.

11) 새

◇ **원앙새의 암수 한쌍을 본 꿈은** / 좋지 않았던 감정이 풀리고, 자손의 혼사가 이루어진다.

◇ **매가 창공에서 원을 그리고 있는 꿈은** / 세인의 주목을 받게 된다.

◇ 닭이나 비둘기에게 모이를 준 꿈은 / 제자를 만나게 되거나 사업에 투자할 일이 생긴다.

◇ 제비가 처마 밑에 집을 짓는 꿈은 / 일을 계획하거나 정확하게 추진해 나간다.

◇ 암탉이 우는 소리를 듣는 꿈은 / 생각지 않던 사람이 세상을 놀라게 한다.

◇ 나무 위에서 까치가 우는 꿈은 / 반가운 소식이나 먼곳에서 손님이 찾아온다.

◇ 까마귀와 까치가 죽은 사람을 파먹는 꿈은 / 하고 있는 일이 번창하여 사람을 늘리고 집안에는 경사가 있어 많은 사람을 초대한다.

◇ 사냥을 하는 포수의 총소리를 듣는 꿈은 / 제3자를 통해 사람을 알아볼 수 있다는 소식을 듣는다.

◇ 독수리가 자신을 채서 하늘로 날아간 꿈은 / 자기가 하고 있는 일이 남을 통해서 성사된다.

◇ 봉황새를 보거나 소유한 꿈은 / 부부가 서로 화목하고 평화롭다.

◇ 학이 날아와 앉는 꿈은 / 지식 있는 사람과 접하게 되고 병원에 갈 일이 생긴다.

◇ 두견새나 뻐꾸기 알을 얻는 꿈은 / 뜻하지 않은 곳에서 재물이 생긴다.

◇ 죽은 닭을 많이 가져온 꿈은 / 계획하고 있는 일이 좌절된다.

◇ 비둘기떼에게 모이를 주는 꿈은 / 착한 사람들을 만나게 된다.

◇ 들판에서 학이 노는 꿈은 / 제자를 지도할 일에 종사한다.

◇ 앵무새가 말을 하는 꿈은 / 하루 종일 사람과 시비가 생긴다.

◇ 장닭끼리 서로 싸우는 꿈은 / 다른 사람과 크게 다툰다.

◇ 참새떼가 한꺼번에 날으는 꿈은 / 주도권을 쥐고 있는 곳에서 사람들이 잘 따르지 않는다.

◇ 독수리나 솔개가 가까이 오거나 팔다리를 무는 꿈은 / 진행 중인 복잡한 일이 하나하나 풀리기 시작한다.

◇ 새장의 새가 도망친 꿈은 / 가까이에 있는 사람이 떠나거나 물건을 분실하게 된다.

◇ 독수리가 자신을 해치려 하는 꿈은 / 나쁜 사람에게 시달림을 받거나 질병에 걸릴 염려가 있다.

◇ 새들이 나무에 집을 짓는 꿈은 / 여러 사람이 찾아와 어려운 일을 도와준다.

◇ 암탉이 알을 품고 있는 꿈은 / 생각, 사업, 창작물 등이 쉽게 이루어지지 않는다.

◇ 까마귀떼가 날아가는 꿈은 / 가는 곳마다 좋지 않은 일이 생긴다.

◇ 포수가 꿩을 잡아 몸에 지닌 꿈은 / 많은 재물을 얻는다.

◇ 꿩알을 발견하거나 얻는 꿈은 / 기발한 아이디어가 떠올라 일을 성사시킨다.

◇ 자신이 독수리로 변해 짐승을 잡는 꿈은 / 공공단체에서 자신이 주도권을 잡으려고 한다.

◇ 독수리를 타고 공중으로 날으는 꿈은 / 하고 있는 일이 순조롭게 풀리지 않고 어려운 고비를 겪는다.

◇ 기러기떼가 호숫가에 앉는 꿈은 / 먼 곳에서 소식이 오거나 손님이 찾아온다.

◇ 공작새가 자신에게 공명의 빛을 비추는 꿈은 / 이상적인 사람을 만나거나 좋은 작품을 접하게 된다.

◇ **지붕 위에서 닭이 우는 꿈은**/집안에 화근이 생기거나 다른 사람에게 억압을 당한다.

◇ **장닭이 우는 소리를 듣는 꿈은**/세인의 관심을 받는다.

◇ **많은 갈매기가 자신을 둘러싼 꿈은**/이것이 태몽이라면 자손이 부귀영화를 누릴 때 많은 사람들이 재산을 탐낸다.

◇ **까치 여러 마리가 나뭇가지에 앉는 꿈은**/자기에게 도움을 줄 사람을 만나게 된다.

◇ **학을 타고 하늘을 날으는 꿈은**/지식 있는 사람을 접하게 된다.

◇ **나무에 황새가 앉아 있는 꿈은**/자신이 하고 있는 일에 공공 단체에서 주도권을 잡게 된다.

◇ **머리 위에서 까마귀가 우는 꿈은**/좋지못한 소식을 듣거나 사건에 말리게 된다.

◇ **달걀을 숲 속에서 발견한 꿈은**/많은 사람들이 자기의 좋은 아이디어를 인정해 준다.

◇ **장닭이 쪼려고 덤비는 꿈은**/괴한에게 시달림을 받거나 질병에 걸린다.

◇ **두견새나 뻐꾸기를 본 꿈은**/뜻하지 않은 곳에서 소식이 오거나 사람이 찾아온다.

◇ **독수리로 변한 자신이 여러 마리의 닭을 물어 죽인 꿈은**/자기와 관계 깊은 사람이 출가한다.

◇ **학이 자기의 몸에 앉는 꿈은**/이것이 태몽이라면 학문적인 연구에 몰두하는 자손을 낳는다.

◇ **공작새가 날개를 활짝 편 꿈은**/하고 있는 일이 세인의 관심을 끈다.

◇ **훈련받은 매가 새를 잡아온 꿈은** / 아랫사람을 시켜 사람을 데려오게 하거나 재물을 얻는다.

◇ **물새가 배 위에 앉는 꿈은** / 대체로 운세가 대길하다.

◇ **학을 타고 내려온 노인이 무엇인가를 준 꿈은** / 다른 협력자에 의해서 부귀영화를 누린다.

◇ **새의 날개가 바닥으로 떨어진 꿈은** / 자신의 위치가 타인에 의해서 상실된다.

◇ **장닭 같이 생긴 꼬리 없는 붉은 색 꿩이 날아든 꿈은** / 인격을 갖추지 못한 사람이 찾아온다.

◇ **나무 위에 닭이 오르는 꿈은** / 주어진 일이 순조롭게 풀린다.

◇ **새장에 갇힌 한쌍의 새를 본 꿈은** / 자기의 생활을 그 새의 처지와 비교할 일이 생긴다.

◇ **동자가 학을 타고 하늘에서 내려온 꿈은** / 이것이 태몽이라면 지식인이 될 사람이다.

◇ **새에게 모이를 주는 꿈은** / 자기가 하고 있는 일이 남의 심한 간섭을 받는다.

◇ **원앙금침이나 원앙문장 또는 그림을 본 꿈은** / 자기와 일을 같이 하는 사람과 잘 타협한다.

◇ **자기 주변에서 공작새가 날아다니는 꿈은** / 자기를 남에게 과시하며 부귀영화를 누린다.

◇ **한쌍의 봉황을 얻는 꿈은** / 이것이 태몽이라면 사회에 공헌할 인물이다.

◇ **기러기떼가 하늘 전체를 덮고 계속해서 날아가는 광경을 본 꿈은** / 자신의 일에 충실하며 자기의 일을 과시하고 싶어한다.

◇ **공작새를 소유한 꿈은** / 결혼하지 않은 사람은 이상적인 여인을 만나게 된다.

12) 말

◇ **백마가 하늘을 날으는 꿈은** / 사업을 벌여 세인의 관심을 끌지만 한편으로는 불안해 할 일도 생긴다.

◇ **춤추는 말을 본 꿈은** / 남의 시비를 받아 기분이 언짢아진다.

◇ **달리던 말이 쓰러진 꿈은** / 하고 있는 일에 장애물이 생겨 고비를 겪게 된다.

◇ **말이 놀라서 사방으로 흩어져 도망친 꿈은** / 부동산, 동산 등이 흩어져 하고 있는 일이 제대로 풀리지 않는다.

◇ **말에서 떨어진 꿈은** / 사업의 실패와 사람들에게 배신감을 가져온다.

◇ **쌍두마차를 타고 거리를 달리는 꿈은** / 여러 사람과 협조해서 사업을 경영한다.

◇ **경마를 구경한 꿈은** / 부동산, 투기, 증권 등의 일과 관련된다.

◇ **말을 타고 사람들 앞을 지나가는데 그들이 우러러보거나 엎드려 있는 꿈은** / 공공단체에서 자신이 주도권을 잡는다.

◇ **말과 수레가 흙탕물에 빠지는 꿈은** / 일에 장애물이 생겨서 심한 고통을 받는다.

◇ **말에게 물린 꿈은** / 어떤 일의 주도권을 잡거나 출세하여 세상에 이름을 날린다.

◇ 망아지가 굴레를 벗고 날뛰는 꿈은 / 주색잡기에 빠져 하고 있는 일이 불안정하다.

◇ 말의 성기가 팽창해 있는 꿈은 / 가까운 사람이 자기에게 반항을 한다.

◇ 말안장이 없는 꿈은 / 일을 추진하거나 여행을 떠날 일이 생긴다.

◇ 준마를 타고 하늘을 날으는 꿈은 / 자신의 모습을 남에게 과시한다.

◇ 말을 타고 들판을 달리는 꿈은 / 추진하고 있는 일이 몇 번의 고비를 겪는다.

◇ 묶여 있는 말이 우는 꿈은 / 제3자가 자신의 고민을 이야기 한다.

◇ 조상의 집으로 말을 끌고온 꿈은 / 집안에 사람이 오거나 재물이 생긴다.

◇ 잔디밭에 묶여 있는 말을 보고 출산한 꿈은 / 이것이 태몽이라면 재산이 많고 육영 사업에 종사할 자손이다.

◇ 처녀가 말을 타고 있는 꿈은 / 추진하고 있는 일이 성사된다.

◇ 말이 단체나 군대가 도열해 있는 곳을 지나가거나 사열한 꿈은 / 남에게 청탁을 하지만 쉽게 이루어지지 않는다.

◇ 말이 자기에게 급히 달려오는 꿈은 / 급한 소식을 전해 듣는다.

◇ 말에다 짐을 싣거나 마차를 맨 꿈은 / 가정에 화근이 생기거나 이사할 일이 있다.

◇ 말이 울음소리를 내며 발을 구르는 꿈은 / 자신의 일거리가 남을 통해서 전해진다.

13) 호랑이 · 표범 · 사자

◇ **호랑이를 끌고 다니는 꿈은**/사람들을 마음대로 움직이게 하거나 큰 일을 성사시킨다.

◇ **호랑이가 무서워 부들 부들 떨었던 꿈은**/제3자에 의해서 정신적인 고통을 받는다.

◇ **호랑이가 사자를 타고 달리는 꿈은**/권력자, 공공단체 등의 도움을 받는다.

◇ **토끼만한 동물이 점차 커져서 호랑이가 된 꿈은**/작은 일부터 시작하여 점차 번창해진다.

◇ **사방에서 호랑이가 개처럼 졸졸 쫓아다닌 꿈은**/남에게 도움을 받거나 계획한 일을 추진해 나간다.

◇ **집에서 기르는 동물이나 사람을 표범이 물어간 꿈은**/제3자에 의해서 근심 걱정이 해소되거나 재물의 손실이 있다.

◇ **사자나 호랑이가 자기 앞에 앉아 있는 꿈은**/여러 계층의 사람들을 굴복시킨다.

◇ **호랑이나 사자에게 물린 꿈은**/하고 있는 일이 순조롭게 풀린다.

◇ **들판에서 여러 마리의 호랑이나 사자가 어울려 노는 꿈은**/어떤 단체에서 지식인이 많은 것을 보거나 책을 읽을 일이 있다.

◇ **호랑이나 사자가 우는 소리를 듣는 꿈은**/남의 이목을 한꺼번에 받는다.

◇ **돼지를 해치려 오는 표범과 사자를 때려 잡는 꿈은**/이것이 태몽이라면 출산이 순조롭게 이루어진다.

◇ **호랑이를 타고 가다 다른 동물로 바꿔 탄 꿈은**/맡고 있는 일을

그만두거나 다른 데로 옮긴다.

◎ 사자나 호랑이를 죽인 꿈은 / 장애물을 제거하게 되고 일이 성사된다.

◎ 호랑이나 사자에게 쫓긴 꿈은 / 추진하고 싶은 일이 난관에 부딪힌다.

◎ 사자나 호랑이 등의 맹수와 싸워서 이긴 꿈은 / 하고 있는 일이 뜻대로 성사된다.

◎ 집안으로 호랑이가 들어온 꿈은 / 이것이 태몽이라면 세인의 이목을 받을 자손이 된다.

◎ 호랑이와 성교한 꿈은 / 사업, 작품 등이 이루어진다.

◎ 궁궐 같은 집으로 호랑이를 탄 채 들어간 꿈은 / 권력자가 되고 재물을 얻는다.

◎ 호랑이나 사자가 자신을 피해서 도망친 꿈은 / 일반적으로 권리상실, 사업 실패 등이 뒤따른다.

14) 뱀

◎ 구렁이가 자신을 문 꿈은 / 제3자에게 도움을 많이 받는다.

◎ 새빨간 뱀이 치마 속으로 들어온 꿈은 / 이것이 태몽이라면 건강하고 정열적인 아이를 얻는다.

◎ 죽 늘어져 있는 황색 구렁이가 사라져 버린 꿈은 / 누군가가 나타나 자신에게 도움을 주기는커녕 불쾌하게 만든다.

◎ 수많은 뱀이 길바닥에서 우글거리는 꿈은 / 이것이 태몽이라면 남

을 가르치는 직업을 가질 자손이다.

◇ **온몸을 감은 뱀이 혓바닥을 날름거리고 있는 꿈은** / 악한 사람이 자기에게 피해를 준다.

◇ **청구렁이가 숲 속에 길게 늘어져 있는 꿈은** / 이것이 태몽이라면 남에게 선망의 대상이 될 자손을 얻는다.

◇ **쫓아오던 뱀이 사람으로 탈바꿈한 꿈은** / 하고 싶지 않은 일을 회피하려고 하지만 어쩔 수 없이 일을 해주게 된다.

◇ **큰 구렁이를 죽여 피가 난 꿈은** / 장애물을 제거하여 뜻대로 일이 성사된다.

◇ **뱀이 나무의 줄기처럼 길게 늘어져 있는 꿈은** / 남의 잔꾀에 넘어가기 쉽다.

◇ **뱀을 토막내어 먹는 꿈은** / 자기가 모르는 것을 남을 통해서 안다.

◇ **집안으로 뱀이 들어온 꿈은** / 집안 식구가 늘어나거나 사업상 일이 생긴다.

◇ **뱀과 성교한 꿈은** / 계약을 하거나 다른 사람과 동업을 한다.

◇ **연못 속의 수많은 뱀을 들여다 본 꿈은** / 유물, 골동품, 금은보화 등을 얻게 된다.

◇ **구운 구렁이 토막을 먹는 꿈은** / 출판된 서적을 읽고 많은 지식을 얻는다.

◇ **큰 구렁이 주위에 뱀들이 우글거리는 꿈은** / 권세를 잡거나 사회단체의 주도권을 쥐게 된다.

◇ **큰 구렁이에게 물린 꿈은** / 이것이 태몽이라면 큰 일을 할 자손을 얻는다.

◇ **산정에서 청구렁이가 몸전체를 아래로 늘어뜨린 꿈은** / 이것이 태

몽이라면 공공단체에서 우두머리가 될 자손을 얻는다.

◇ 뱀에게 물려 독이 몸에 퍼진 꿈은 / 자신을 남에게 과시하거나 재물이 생긴다.

◇ 온몸에 구렁이가 감겨있는데 호랑이가 바위로 쳐서 토막을 낸 꿈은 / 어떤 세력을 꺾거나 협조자와 더불어 일을 성사시킨다.

◇ 치마로 싼 구렁이를 때려 잡는 꿈은 / 가정에 화근이 생긴다.

◇ 뱀이 온몸을 감고 턱 밑에서 노려 본 꿈은 / 가까운 사람으로 인해 구속받거나 사소한 말다툼으로 신경을 쓴다.

◇ 큰 구렁이가 작은 구멍 속으로 들어간 꿈은 / 가정에 좋지 않은 일이 생긴다.

◇ 전신을 감고 있는 뱀을 죽인 꿈은 / 어려웠던 난관이 순리대로 풀린다.

◇ 머리가 여러 개인 뱀이 물 속에 있는 꿈은 / 교양 있는 책을 읽거나 귀한 물건을 보게 된다.

◇ 큰 구렁이가 용마루로 들어간 꿈은 / 이것이 태몽이라면 공공단체의 주도권을 쥐게 될 자손을 얻는다.

◇ 구렁이가 허물을 벗고 사라진 꿈은 / 자신의 잘못을 뉘우치고 새로운 사람이 된다.

◇ 큰 구렁이와 관련된 꿈은 / 이것이 태몽이라면 진취적이고 재주가 뛰어난 자손을 얻을 것이다.

◇ 자기 발을 문 뱀을 그 자리에서 밟아 죽인 꿈은 / 이것이 태몽이라면 자손에게 나쁜 영향이 미친다.

◇ 수많은 뱀이 문틈 사이로 들어온 꿈은 / 여러 계층의 사람과 접하게 되고 자신의 신변에 관한 이야기를 타인에 의해 듣게 된다.

◇ **뱀의 몸 속에서 이빨 고치는 약을 구한 꿈은** / 뜻밖에 생활에 필요한 필수품이 생긴다.

◇ **수많은 황구렁이가 늘어서 있는 꿈은** / 이것이 태몽이라면 정치가, 사업가, 권력자 등이 될 자손을 얻는다.

◇ **뱀이 자신을 물고 사라진 꿈은** / 순간적으로 마음의 상처를 받고 남을 통해서 재물이 생긴다.

◇ **구렁이가 전신을 감는 꿈은** / 여러 계층의 사람들과 만나게 된다.

15) 곰 · 기린 · 코끼리 · 낙타 · 기타

◇ **도망치고 있는 기린을 본 꿈은** / 계획한 일이 뜻대로 이루어지지 않고 재물을 잃게 된다.

◇ **낙타를 타고 끝없는 사막을 걸었던 꿈은** / 추진하고 싶은 일이 난관에 부딪히게 된다.

◇ **동물의 뿔이 여러 개 난 꿈은** / 여러 방면으로 실력 발휘를 하여 인정을 받게 된다.

◇ **코끼리의 코에 감기거나 매달린 꿈은** / 여러 사람들에게 시달림을 받는다.

◇ **곰이 높은 곳으로 기어오르는 꿈은** / 하고 있는 일이 순조롭게 이루어진다.

◇ **기린이 새싹을 뜯어 먹는 꿈은** / 사업, 취직 등이 순조롭게 된다.

◇ **죽은 곰의 쓸개를 구한 꿈은** / 일이 잘 추진되어 세인의 이목을 한 몸에 받게 된다.

◇ **동물의 머리가 여러 개인 꿈은** / 자신이 가입한 단체에 우수한 사

람이 많이 있다.

◇ **타고 있는 코끼리가 움직이지 않아 채찍질을 해서 걷게 한 꿈은** / 풀리지 않은 일을 여러 각도로 구상하여 푼다.

◇ **기린의 목을 잘라 죽인 꿈은** / 기쁜 소식이 있고 어렵던 일이 성사된다.

◇ **낙타를 끌고온 꿈은** / 가축, 부동산, 작품 등이 생긴다.

◇ **상아 종류의 제품을 구한 꿈은** / 금은보화나 희한한 물건을 보게 된다.

◇ **낙타의 육봉이 기억 속에 남는 꿈은** / 여러 가지 특징을 가진 기업체나 작품을 접하게 된다.

◇ **여자가 코끼리를 탄 꿈은** / 부귀로운 사람을 만나거나 남에게 인정을 받는다.

제 3 장
식물에 관한 꿈

1) 꽃

◇ **꽃에 대한 꿈은** / 일반적으로 경사스러운 일, 영광, 애정, 명예 등을 나타낸다.

◇ **집마당에 꽃이 만발한 꿈은** / 여러가지로 좋은 일이 겹쳐서 경사스럽다.

◇ **만발한 꽃나무 아래를 걷는 꿈은** / 성과, 대화, 독서 등으로 자신에게 도움이 되는 일이 있다.

◇ **꽃을 씹어 먹는 꿈은** / 사람들과의 만남이 자연스럽게 맺어진다.

◇ **꽃을 꺾어 든 꿈은** / 이것이 태몽이라면 사회적으로 자수성가할 자손을 얻는다.

◇ **만발한 꽃을 한꺼번에 꺾어 놓은 꿈은** / 업적, 성과, 수집 등을 나타낸다.

◇ **꽃향기를 맡은 꿈은** / 자신을 남에게 과시하고 그리운 사람 등을 만난다.

◇ **예식장이 온통 화환으로 장식된 꿈은** / 단체나 집단에서 자신의

성실함을 인정 받는다.

◎ **꽃이 시든 꿈은** / 생명의 단절, 질병, 사업의 실패 등을 나타낸다.

◎ **들꽃이 만발한 것을 본 꿈은** / 어떤 기관, 사업장 등에서 자신을 인정해 준다.

◎ **꽃 속에 자기가 파묻혀 있는 꿈은** / 좋은 사람을 만나거나 행복한 결혼 생활을 한다.

◎ **고목에 핀 꽃 한송이를 얻은 꿈은** / 남의 사업을 인수받아 그것을 발판으로 대성한다.

◎ **꽃나무를 뿌리째 캐낸 꿈은** / 계약, 투자, 증권 등이 이루어진다.

◎ **스님이 옥반에 어사화를 담아 준 꿈은** / 사회 기관, 학원 등에서 자신을 인정해 준다.

◎ **꽃을 보거나 꺾은 장소가 유난히 돋보였던 꿈은** / 이것이 태몽이라면 사회적으로 기반을 튼튼히 잡을 자손을 얻는다.

◎ **영적인 존재가 꽃다발을 안겨준 꿈은** / 어떤 기관에서 자신을 인정해 주거나 미혼자는 결혼이 성립된다.

◎ **꽃송이에서 아름다운 소녀가 나와 하늘로 사라져 버린 꿈은** / 감명 깊은 서적을 읽거나 일이 성사된다.

◎ **꽃나무의 꽃이 떨어진 꿈은** / 단체나 개인의 세력이 몰락함을 나타낸다.

◎ **험한 산에 꽃이 만발한 꿈은** / 국가나 사회적인 일로 자신을 내세운다.

2) 재목

◇ **낙엽을 긁어 모으는 꿈은** / 어려운 고비를 겪고 난 다음에 일이 성사된다.

◇ **정원에 나무를 옮겨다 심는 꿈은** / 자리를 옮기거나 좋은 사람을 만난다.

◇ **낙엽이 쌓인 것을 본 꿈은** / 사업이 발전하거나 재물을 얻는다.

◇ **높은 나무에 앉아 있는 새 꿈은** / 미혼자는 혼담이 오고간다.

◇ **나무에 사람이 올라가 있는 꿈은** / 어떤 기관에서 사업, 작품 등에 관해서 상의할 일이 있음을 통보해 온다.

◇ **나뭇가지에 매달려 물을 건너거나 뛰어오른 꿈은** / 어려운 일을 남을 통해서 극복해 나간다.

◇ **무덤 위에 나무가 서 있는 것을 본 꿈은** / 남의 도움을 받아 어떤 기관의 지도자가 된다.

◇ **나무를 베어 마차나 트럭으로 운반하는 꿈은** / 인재나 재물 등을 얻는다.

◇ **큰 나무를 자기 집에 옮겨다 심으려고 하는 꿈은** / 훌륭한 인재를 얻거나 단체에서 주도권을 잡게 된다.

◇ **고목이 부러진 것을 본 꿈은** / 주도권을 쥐고 있던 사람이 화를 입는다.

◇ **소나무가지에 무궁화꽃이 핀 꿈은** / 사랑의 애정 문제로 번뇌하게 된다.

◇ **큰 고목 위를 자연스럽게 걷는 꿈은** / 하고 있는 일이 순조롭게 이루어진다.

◇ 강 한가운데 나무가 우뚝 서 있는 꿈은 / 중개자를 통해서 자신의 사업이 이루어진다.

◇ 쓰러지려는 나무를 버팀목으로 바쳐놓은 꿈은 / 어려운 난관에 부딪혀도 잘 참아낸다.

◇ 단풍나무를 지붕 위에 옮겨다 심는 꿈은 / 자신이 소원하는 것이 이루어진다.

◇ 나뭇가지가 부러진 꿈은 / 건강이 좋지 않고 믿던 사람이 화를 입는다.

◇ 큰 나무가 뿌리째 뽑혀 있는 꿈은 / 기관에서 은퇴하거나 사업의 어려움을 나타낸다.

◇ 죽은 나무가 되살아나는 꿈은 / 타격을 받았던 일이 다시 활기를 되찾는다.

◇ 버들가지가 늘어진 것을 스케치 한 꿈은 / 외로운 사람을 만나 이야기를 주고 받는다.

◇ 거목 밑에 앉거나 서 있는 꿈은 / 제3자의 협조를 받는다.

◇ 나무뿌리나 풀뿌리를 잡고 일어서는 꿈은 / 도움을 받을 사람을 찾아서 어려운 고비를 넘긴다.

◇ 방바닥에 뿌리를 박은 거목이 지붕을 뚫고 나오는 꿈은 / 사회적인 이목을 한몸에 받는다.

◇ 노송 밑에 동물이 있는 꿈은 / 이것이 태몽이라면 공공단체의 지도자가 되거나 성실한 사람이 된다.

◇ 거목이 기울거나 가지가 뻗어 나온 꿈은 / 협조자가 나타나 자신을 도와주거나 사업체를 운영할 권리가 주어진다.

◇ 녹색 나뭇잎을 딴 꿈은 / 공공단체에 가입하여 자신의 성실함을

인정 받는다.

◇ 타인이 자기 집에 낙엽 한 짐을 짊어지고 온 꿈은 / 자기에게 자본을 댈 사람이 생긴다.

◇ 여성이 버들가지를 꺾어 든 꿈은 / 떠돌아 다니는 사람을 만나게 된다.

◇ 쭉 뻗은 나뭇가지가 부러진 꿈은 / 부모와 이별하게 되거나 의지했던 곳에서 나오게 된다.

◇ 우거진 숲속에 나무 한 그루가 말라 죽는 꿈은 / 사업의 부진, 질병 등으로 고생하게 된다.

3) 농사

◇ 논밭에서 많은 사람이 일하는 것을 본 꿈은 / 어떤 기관의 도움으로 많은 사람과 유대를 갖게 된다.

◇ 곡식이 전혀 없는 논두렁을 걷는 꿈은 / 사업체, 여건, 환경 등에 변화가 따른다.

◇ 볏가마를 밖으로 실어낸 꿈은 / 자본의 손실이 따른다.

◇ 씨앗이 많이 달린 곡식을 본 꿈은 / 오목조목한 사업이나 학문 연구 등을 한다.

◇ 쌀이 하늘에서 눈 내리듯 쏟아진 꿈은 / 재물이 많이 생기거나 좋은 일이 있다.

◇ 팥이나 콩을 휘저어 놓은 꿈은 / 집안에 화근이 생긴다.

◇ 목화꽃이 탐스럽게 핀 밭 둑을 걷는 꿈은 / 사업이 번창하고 미혼

자는 혼담이 오고간다.

◇ **논에 물이 흥건히 고인 꿈은** / 모든 조건이 여러모로 만족한 상태를 나타낸다.

◇ **잡곡밥이나 보리밥을 지어 먹는 꿈은** / 시험, 응모, 사업 등에서 실패한다.

◇ **쌀을 남에게 조금 준 꿈은** / 불안했던 마음이 안정된다.

◇ **벼 베는 것을 본 꿈은** / 사업이 잘 운영되어 재물을 얻는다.

◇ **물이 마른 논의 꿈은** / 재정의 결핍, 세력권 등을 나타낸다.

◇ **전답을 파는 꿈은** / 남에게 사업 자금을 대준다.

◇ **수북이 쌓아 놓은 콩깍지가 썩은 꿈은** / 사업 자금, 재산 등이 탕진된다.

◇ **곡식의 이삭을 얻는 꿈은** / 여러 방면으로 도움을 받아 자본이 생긴다.

◇ **잡곡밥을 먹는 꿈은** / 힘든 일을 하거나 하고 있는 일이 썩 마음에 내키지 않는다.

◇ **쌀가마나 볏섬을 다른 사람이 가져간 꿈은** / 세금을 내고 재물의 일부를 남에게 준다.

◇ **알곡식과 쭉정이를 가려낸 꿈은** / 공적인 것과 사적인 일을 구분할 일이 생긴다.

◇ **보리 이삭이 팬 꿈은** / 하고 있는 일이 어느 한계에 이른다.

◇ **쌀가마가 집안에 수북이 쌓인 꿈은** / 재물이 생기거나 사업이 번창해진다.

◇ **물이 넘쳐 남의 집 논으로 들어간 꿈은** / 재물의 손해를 보거나

사상적 침해를 받을 일이 생긴다.

◈ **벼가 무르익은 꿈은**/일의 성숙기에 접어든 것을 나타낸다.

◈ **창고에 들어 있던 벼가 쌀이나 해바라기씨로 변한 꿈은**/좋은 양서를 읽고 많은 지식을 얻는다.

◈ **남이 만든 화학비료를 이유없이 담는 꿈은**/남의 좋은 점을 자기가 이용한다.

◈ **들판에 수북이 쌓인 쌀을 본 꿈은**/부지런하고 검소하게 생활하면 많은 재물을 모은다.

◈ **동물들이 논두렁 밑에서 우글거리는 것을 본 꿈은**/어느 단체의 지도자가 된다.

◈ **탈곡을 열심히 하는 꿈은**/미혼자는 혼담이 오고간다.

◈ **콩을 많이 본 꿈은**/사업 성과, 작품, 재물 등을 나타낸다.

◈ **볏단이 마당에 높이 쌓여있는 꿈은**/재물, 일거리, 사업체 등을 나타낸다.

◈ **벼를 찧는 꿈은**/교양, 교육, 사업 등을 나타낸다.

◈ **해바라기, 참깨, 담배 등 특용작물을 본 꿈은**/모양, 성장과정, 작품, 재물 등을 일반적으로 나타낸다.

◈ **들판에 메밀꽃이 활짝 핀 꿈은**/하고 있는 일이 순리대로 이루어진다.

◈ **우마차로 볏단을 실어다 놓거나 몰래 갖다 놓는 꿈은**/재물이 생기고 좋은 아이디어를 개발한다.

◈ **집안으로 볏섬을 들여온 꿈은**/물질적인 자본이 생긴다.

◈ **여러 곡식이 자라는 밭에 수수 이삭이 여물어가는 것이 인상적으

로 보인 꿈은/자기 자신을 내세워 세인의 이목을 한몸에 받고 싶어 한다.

◇ **신령적인 존재에게 쌀밥을 드리는 꿈은**/입학 시험, 고시, 취직 시험 등에서 합격한다.

◇ **호박이나 오이 구덩이에 비료를 넣는 꿈은**/정신적, 물질적 투자를 나타낸다.

◇ **개간을 해서 논밭을 일군 꿈은**/개척적이며 계몽적인 일을 계획해서 추진한다.

◇ **밭이랑을 만드는 꿈은**/여러 분야로 나누어 사업을 계획한다.

◇ **모를 심는 꿈은**/자신이 하고 있는 일을 다른 사람에게 널리 알리고 싶어한다.

◇ **계단식 논의 논두렁을 여러 사람이 따로따로 걸어가는 꿈은**/친구를 사귀어도 일하는 분야가 각각 다르다.

◇ **곡식이 익은 들판에 세워 놓은 허수아비를 흔드는 꿈은**/이것이 태몽이라면 그림에 관해서 공부할 자손을 얻는다.

◇ **볏단을 쌓거나 옮기는 꿈은**/작품, 재물 등으로 이익을 얻는다.

◇ **볍씨, 밭곡식의 씨앗을 많이 취급하고 있는 꿈은**/정신적, 물질적 자원이나 자본 등을 나타낸다.

4) 숲

◇ **숲에 관한 꿈은**/일반적으로 기업체, 백화점, 학원 등을 나타낸다.

◇ **숲속에 앉거나 누워있는 꿈은**/병원에 갈 일이나 사업상 조용히

기다릴 일이 생기게 된다.

◇ 나무를 베고 숲을 개간한 꿈은 / 묵은 것을 버리고 새로운 것을 개척한다.

◇ 숲속에 냇물이 흐르는 것을 본 꿈은 / 사업, 학문 등이 순조롭게 이루어진다.

◇ 밀림 속을 헤매는 꿈은 / 질병에 걸리거나 하고 있는 일이 난관에 부딪힌다.

◇ 숲속을 걷는 꿈은 / 사업, 학업, 연구 등을 나타낸다.

◇ 숲속에서 꽃을 꺾어 든 꿈은 / 어떤 기관에서 자기를 남앞에 내세우는 일이 있다.

◇ 개간지 한가운데서 물이 유유히 흐르는 꿈은 / 여러가지로 자원이 풍부함을 나타낸다.

◇ 산에 숲이 우거져 보인 꿈은 / 방어 태세가 안전함을 나타낸다.

◇ 숲속의 개울에서 물고기를 잡는 꿈은 / 계획하고 있는 일을 추진하며 성과를 얻는다.

◇ 망령이 손을 잡고 숲속으로 끌어들이는 꿈은 / 교양 있는 서적을 읽거나 여러 방면으로 아는 사람을 소개받게 된다.

◇ 숲 속에서 거목을 베어 껍질을 벗긴 꿈은 / 어떤 단체에서 대의원 등에 출마할 추천을 받게 된다.

◇ 숲속을 걸어들어간 꿈은 / 견학, 직무수행, 독서 등을 나타낸다.

◇ 산에 서 있는 나무가 허술하게 보인 꿈은 / 방어 태세가 완벽하지 않다.

5) 채소

◇ **무성하게 자라고 있는 채소류를 본 꿈은**/사업, 혼담, 계약 등이 이루어진다.

◇ **인삼을 얻거나 본 꿈은**/여러 방면으로 남의 이목을 한몸에 받게 된다.

◇ **고추가 집마당에 널려 있는 꿈은**/사업을 추진하려고 여러가지 계획을 세운다.

◇ **마른 풀밭을 본 꿈은**/일의 성과를 올리는 데 가장 적합한 시기임을 나타낸다.

◇ **물에 떠있는 시든 배추를 건진 꿈은**/집안에 불길한 일이 있다.

◇ **해초류를 바다에서 건져온 꿈은**/어떤 단체에서 재물과 관계되는 일로 시비가 생긴다.

◇ **채소를 좋은 것으로 고른 꿈은**/연구, 사업, 재물 등에 이득이 생긴다.

◇ **퇴비나 건초더미를 만든 꿈은**/여러 방면으로 자본이 축적된다.

◇ **소금에 배추를 절인 꿈은**/집안에 화근이 생긴다.

◇ **금잔디로 잘 다듬어진 무덤을 본 꿈은**/남의 도움을 받아 쉽게 일이 성사된다.

◇ **수삼이나 건삼을 많이 캐오거나 사온 꿈은**/많은 재물이 생기고 여러 방면으로 가치 있는 제품이 생산된다.

◇ **밭의 신선한 채소를 본 꿈은**/남을 통해서 자기 사업이 발전한다.

◇ **채소밭에 꽃이 만발한 꿈은**/사업 성과, 작품 등을 통해서 경사스

러운 일이 있다.

◇ **뱀이 오이를 감고 있는 꿈은**/배우자 이외에 다른 사람과 관계를 맺게 된다.

◇ **새알을 뱀이 물어간 꿈은**/사회사업을 하는 사람과 결혼을 한다.

◇ **미역국을 먹는 꿈은**/입학, 취직, 청탁 등이 자기 뜻대로 안된다.

◇ **신선한 청과류를 많이 보유한 꿈은**/사업 성과, 재물 등이 생긴다.

◇ **바구니에 붉은 고추를 가득 따온 꿈은**/이것이 태몽이라면 사업, 작품 등에 관련이 있을 자손을 얻는다.

◇ **수렁에 빠진 후 몸에 풀이 감겨 나오지 못한 꿈은**/자기가 하고 싶은 일이 뜻대로 이루어지지 않는다.

◇ **산삼이 모자를 쓰고 산봉우리를 향해 우뚝 솟아있는데 그곳을 둘러싸고 많은 사람들이 우러러본 꿈은**/이것이 태몽이라면 자선사업을 할 자손을 낳는다.

◇ **청과류의 모양이 길쭉하게 보였던 꿈은**/일반적으로 남성을 상징한다.

◇ **파릇파릇한 새싹이 갑자기 동물로 변해서 커가고 있는 꿈은**/사업, 작품 등이 점점 진전을 보인다.

◇ **오이를 먹는 꿈은**/남녀가 서로 관계를 맺는다.

◇ **이끼가 낀 우물이나 연못의 꿈은**/장애가 되는 사람이나 나쁜 마음을 가진 사람을 멀리하려고 한다.

◇ **청과류를 시장에서 사온 꿈은**/사업체, 단체기관 등에서 재물이 생긴다.

◇ **덩굴이나 덤불이 우거진 꿈은**/일이 뒤얽혀 진행 과정에서 시비가 생긴다.

◇ **자극을 주는 조미료를 본 꿈은**/재물, 학습교재, 자본 등을 나타낸다.

◇ **무우나 파밭 근처에 배추밭이 있는 꿈은**/미혼자는 혼담이 오고 간다.

◇ **호박이 여기저기 많이 열린 꿈은**/작품, 일의 성과 등을 나타낸다.

◇ **풀이 난 밭의 꿈은**/미개척분야, 작전지역, 방해적인 여건 등을 나타낸다.

◇ **풀을 벤 꿈은**/재물, 학과 이수, 사업 정리 등과 관계된다.

6) 과일

◇ **과수원 안을 거닌 꿈은**/학문 연구, 사업, 기관 등에 종사함을 나타낸다.

◇ **과일을 많이 따온 꿈은**/이것이 태몽이라면 여러 사람을 거느리고 사업을 할 자본을 얻는다.

◇ **대나무를 많이 베어 온 꿈은**/재물이 생기거나 새로운 계획을 추진해 나간다.

◇ **연시를 따먹거나 사먹는 꿈은**/맡고 있는 일이 쉽게 풀리고 자기에게 이득이 있다.

◇ **뽕잎이 저절로 떨어진 꿈은**/재물의 손해를 본다. 그러나 바구니에 따 오면 사업 자금이 생긴다.

◇ **하늘에서 포도알이 떨어진 꿈은**/이것이 태몽이라면 지도자, 교사, 작가 등의 직업을 갖는 자손을 얻는다.

◇ **떨어진 밤알을 여러 개 먹거나 주머니에 넣는 꿈은**/다른 사람과

사소한 일로 다툰다.

◇ **어슴푸레한 달밤에 배꽃이 핀 꿈은** / 반가운 사람을 만나거나 경사로운 일이 있다.

◇ **나무에 올라 과일을 따먹는 꿈은** / 취직, 계약, 시험 등의 일을 나타낸다.

◇ **다른 사람이 따준 과일을 받아 먹는 꿈은** / 다른 사람의 청탁을 받아 주거나 계약이 성립된다.

◇ **붉은 대추를 많이 따온 꿈은** / 재물이 생기고 여러가지로 사업 성과를 나타낸다.

◇ **꽃은 졌는데 열매를 맺지 않는 꿈은** / 하는 일이 발전이 없거나 궁지에 몰리게 된다.

◇ **잘 익은 복숭아를 얻은 꿈은** / 남녀 교제가 자연스럽게 이루어지고 학생은 학업 성적이 우수해진다.

◇ **죽순이 갑자기 크게 자란 꿈은** / 하고 있는 일이 자기 뜻대로 이루어진다.

◇ **집안에 심은 과일나무에 과일이 주렁주렁 열린 꿈은** / 결혼, 사업, 작품 등을 나타낸다.

◇ **한 개 뿐인 빨간 과일을 따 먹는 꿈은** / 여자를 만나거나 고시에 합격한다.

◇ **감을 차에 싣고 운반한 꿈은** / 출판된 서적을 판매한다.

◇ **나무 밑에 떨어진 상수리를 많이 줍는 꿈은** / 여러 방면으로 많이 재물을 얻는다.

◇ **여러개의 배나무를 단계적으로 심는 꿈은** / 순리대로 사업이 이루어진다.

◇ 떨어진 연시를 주워 먹는 꿈은 / 남에게 무시당할 일이 있다.

◇ 누런 과일과 푸른 과일을 몰래 훔친 꿈은 / 제3자를 통해서 혼담이 이루어진다.

◇ 노란꽃 화분을 방 안에 들여 왔는데 열매를 맺은 꿈은 / 이것이 태몽이라면 예술 작품으로 세인의 이목을 받을 자손을 얻는다.

◇ 풋과일을 어른이 따줘서 먹는 꿈은 / 제대, 퇴직, 불합격 등에 관한 일이 생긴다.

◇ 나무 중간에 열린 과일을 딴 꿈은 / 이것이 태몽이라면 별 어려움 없이 일을 추진해 나갈 자손을 얻는다.

◇ 배나무에 배가 주렁주렁 달린 것을 본 꿈은 / 하고 있는 일이 순리대로 풀린다.

◇ 과일나무에 과일이 주렁주렁 달린 꿈은 / 사업 성과, 창작 활동 등을 나타낸다.

◇ 전주에 달린 과일을 모르는 사람이 따다 버린 꿈은 / 계약이 깨지고 사람이 행방불명 된다.

◇ 잘 익은 과일을 따 먹는 꿈은 / 좋은 일을 책임진다.

◇ 은행잎이 수북이 쌓인 것을 본 꿈은 / 재물이 생기고 작품 성과 등을 얻는다.

◇ 대나무 숲에서 헤매는 꿈은 / 일에 몰두하거나 마음이 안정되지 않고 항상 불안하다.

◇ 앵도과에 속하는 작은 열매의 꿈은 / 재물, 키스, 일의 성과 등을 나타낸다.

◇ 감나무에 오르거나 감을 따먹는 꿈은 / 일을 단계적으로 차근차근 진행해 나간다.

◇ **쪼개진 과일을 얻은 꿈은** / 확실하지 않은 사업에 손을 댄다.

◇ **밤알을 벅찰 정도로 많이 가져온 꿈은** / 이것이 태몽이라면 부귀영화를 누릴 자손을 얻는다.

◇ **산 중턱에서 과일을 따온 꿈은** / 이것이 태몽이라면 운세가 서서히 호전되어 일을 성취시키는 자손을 얻는다.

◇ **붉게 익은 사과 여러개를 따온 꿈은** / 여러가지 일에 종사해서 성과를 얻는다.

◇ **과일을 통채로 삼킨 꿈은** / 권리, 명예 등을 얻는다.

◇ **여러 그루의 감나무에서 감이 떨어진 것을 주워 모은 꿈은** / 여러 기업체, 여러 작품 등에서 좋은 성과를 얻는다.

◇ **꽃이 달린 채 떨어진 풋감을 주워 담는 꿈은** / 연구 자료를 수집하거나 자본을 구하게 된다.

◇ **배나무의 꽃이 만발해서 달빛에 빛나는 것을 본 꿈은** / 좋은 작품을 써서 여러 사람에게 지식을 제공해 준다.

◇ **선악과라고 생각되는 나무 열매를 따먹는 꿈은** / 옳고 그름을 판단하고 진리를 깨닫는다.

◇ **곶감꽂이에서 곶감을 한 개씩 빼먹는 꿈은** / 마무리 단계에 있는 일을 맡게 된다.

◇ **뽕나무 열매를 따 가진 꿈은** / 성교, 입학, 계약, 잉태 등이 이루어진다.

◇ **복숭아나 살구꽃이 만발한 곳을 걷는 꿈은** / 자신을 내세우거나 남녀가 관계를 맺는다.

◇ **상수리 나무를 돌로 쳐서 상수리가 우수수 쏟아진 꿈은** / 신상문제, 체험담, 독서, 기관, 재물 등과 관계된다.

◇ **혼담이나 사업상의 일로 썩은 과일을 얻어온 꿈은** / 결혼, 사업 등이 불행을 가져온다.

◇ **배를 따온 꿈은** / 이것이 태몽이라면 대범한 자손을 얻는다.

◇ **죽순을 꺾어온 꿈은** / 사업 성과, 작품 발표 등의 일을 보게 된다.

제 4 장
유가증권 · 돈 · 증서에 관한 꿈

1) 돈

◇ 공중에서 지폐가 눈처럼 떨어져 집안에 수북이 쌓인 꿈은 / 사회단체를 통하여 재물이 생기거나 여러 통의 편지를 받는다.

◇ 품삯을 달라는데 상대방이 주지않는 꿈은 / 정신적, 육체적 고통을 받는다.

◇ 돈을 많이 소유한 꿈은 / 만족할 일, 재물 등이 생긴다.

◇ 곗돈을 타오는 꿈은 / 재물, 보험, 예금, 복권 등을 나타낸다.

◇ 거리에서 동전을 주워 주머니에 넣은 꿈은 / 친구들과 사소한 일로 다투게 된다.

◇ 금고가 열려있는 꿈은 / 재물이 생기거나 정신적, 학문 등을 통해서 진리를 깨닫는다.

◇ 상점에서 물건값을 지불한 꿈은 / 어떤 소득이 있거나 취업을 하게 된다.

◇ 길바닥에서 녹슨 동전을 여러 개 주운 꿈은 / 가까운 사람이 병사해서 며칠간 슬퍼하고 걱정한다.

◎ **빳빳한 지폐를 길바닥에서 주운 꿈은** / 펜팔, 일거리, 소설 등을 주고받을 일이 있다.

◎ **교통편으로 운반해다 준 보따리를 방에서 풀어보니 돈이 방안에 가득 찬 꿈은** / 이것이 태몽이라면 자수 성가하여 부자가 될 자손을 얻는다.

◎ **남이 지폐를 몇장 주워 가진 걸 본 꿈은** / 근심 걱정할 일이 생긴다.

◎ **금고를 집에 들여온 꿈은** / 자본주 등이 생긴다.

◎ **깨끗한 동전을 얻는 꿈은** / 새로운 친구를 소개받거나 직장에 취직이 된다.

◎ **돈이 가방에 가득 찬 것을, 모르는 사람이 가져가라고 한 꿈은** / 주택을 구입하거나 사업을 계획한다.

◎ **돈을 헤아리는 동안에 돈이 갑자기 솔가지로 변한 꿈은** / 사업을 시작하는데 쓰이는 자본금이 한없이 들어간다.

◎ **어떤 사람이 준 돈이 종이로 변한 꿈은** / 누군가의 강압적인 요구, 지시, 명령 등을 따르게 된다.

◎ **곗돈을 타러 가는데 버스 운전수가 돈 보따리를 준 꿈은** / 남의 도움으로 재물을 얻는다.

2) 유가증서 · 계약서 · 기타

◎ **유가증권, 계약서 꿈은** / 일반적으로 계약, 명령, 약속, 권리이양, 선전물 등을 나타낸다.

◎ **교환권을 받는 꿈은** / 다른 사람의 소개통지서, 명함 등을 받는다.

제 5 장
의상 · 소지품에 관한 꿈

1) 모자 · 신발

◇ **모자 꿈은**/일반적으로 동업자, 지위, 신분증, 직업 등과 관련이 있다.

◇ **왕관을 쓴 꿈은**/자기의 모습을 남에게 자신있게 과시할 일이 생긴다.

◇ **모자를 새것으로 구입해서 쓴 꿈은**/신분증의 갱신, 입사, 입학 등을 하게 된다.

◇ **사각모를 쓴 꿈은**/학문, 공로 등을 통해서 자신을 인정 받는다.

◇ **짚신을 신은 꿈은**/집, 가정부, 고용인 등을 얻는다.

◇ **자기 외에 친척들이 굴건을 쓰고 있는 것을 본 꿈은**/유산 분배, 유산 문제로 서로 시비가 생긴다.

◇ **부인이 족도리를 쓰고 거울을 들여다 보는 꿈은**/권력을 쥔 친척을 만나거나 반가운 사람을 접대한다.

◇ **영적인 존재가 주는 신발을 받아 신는 꿈은**/학자, 지도자, 권력자 등의 도움을 많이 받는다.

◇ 군인이 단체로 철모를 쓴 꿈은 / 하고있는 일이 날로 번창한다.

◇ 새 신이 발에 딱 안맞는 꿈은 / 하고 있는 일이 분수에 맞지 않거나 불안하다.

◇ 타인이 새 관을 만들어 씌워준 꿈은 / 자격증, 주민증록증, 신분증 등을 갱신한다.

◇ 장례식에 굴건을 쓴 사람이 많이 있는 꿈은 / 유산분배자, 제자 등이 많이 있다.

◇ 신고 있던 신을 잃어버린 꿈은 / 직장, 재물, 부동산, 부모 등 자신이 의지하던 곳에서 화근이 생긴다.

◇ 감투를 새로 만들어 쓴 꿈은 / 남에게 자신의 모습을 자신있게 과시한다.

◇ 다 떨어진 신을 신는 꿈은 / 직업, 사업, 동업자 등이 무력해지거나 질병이 생긴다.

◇ 자기 신을 찾지 못하고 남의 신을 찾아 신는 꿈은 / 직장, 사업, 배우자, 주택 등이 바뀌게 된다.

◇ 고무신 한켤레가 물에 빠져서 건졌는데 여러 켤레의 고무신이 나온 꿈은 / 투자를 적게하여 많은 이득을 본다.

◇ 군인들이 군모를 여기저기에 벗어 놓은 것을 본 꿈은 / 군인은 임무를 완수하고 제대한다.

◇ 모자를 벗어서 금은보석, 과일, 재물 등의 물건을 담은 꿈은 / 좋은 아이디어를 개발하여 이득을 본다.

◇ 사병의 꿈에 장교모를 쓴 꿈은 / 자신의 일이 남에게 인정을 받거나 상사의 보호를 받는다.

◇ 모자를 쓰지 않은 경찰관의 꿈은 / 기자, 회사원, 기관원 등과 접

축할 일이 생긴다.

◇ **신발을 얻은 꿈은** / 이것이 태몽이라면 자수 성가를 해서 세인의 이목을 한몸에 받는다.

◇ **구두 두켤레가 우편으로 배달된 꿈은** / 외국 서적을 보거나 여권이 나온다.

◇ **모자를 태우거나 찢어버린 꿈은** / 새로운 것을 시도하려고 계획을 세운다.

◇ **어른이 학생시절로 돌아가 학생모를 쓴 것을 본 꿈은** / 학업, 연구 등에 몰두하거나 단체에 가입한다.

2) 의상

◇ **화려한 옷을 입은 꿈은** / 사업, 신분, 직위 등이 향상되고 좋은 사람을 만나게 된다.

◇ **맞춰 입은 옷이 몸에 꼭 맞지 않은 꿈은** / 주택, 배우자, 직업 등에 불만이 많아진다.

◇ **행주치마에 손을 닦는 꿈은** / 시집간 딸이 친정으로 온다.

◇ **처녀가 웨딩드레스를 입은 꿈은** / 결혼, 취직 등이 성사되고 새로운 동업자를 만난다.

◇ **누더기 같은 옷을 입은 꿈은** / 타인에게 멸시를 받거나 부동산, 사업 등이 하락한다.

◇ **흰 상복을 입은 꿈은** / 여러 방면으로 유산을 상속 받는다.

◇ **금은 보화로 된 단추를 달고 있는 옷을 입은 꿈은** / 좋은 동업자를 만나서 일이 순조롭게 풀린다.

◎ **옷을 선물 받은 꿈은** / 일반적으로 취직, 동업자 등이 나타난다.

◎ **한번 세탁한 일이 있는 잠옷을 입고 보니 약간 크다고 느낀 꿈은** / 전세집을 얻으러 다니나 조건에 맞는 것이 없다.

◎ **빨래를 말린 꿈은** / 자신의 모습을 남에게 과시한다.

◎ **옷을 세탁해 입은 꿈은** / 불안했던 마음이 정리되고 새로운 일을 추진한다.

◎ **옆에 있는 사람이 새빨간 옷을 입고 있는 꿈은** / 상대방과 시비가 엇갈려 마음이 불쾌해진다.

◎ **핑크색 옷을 입은 꿈은** / 다른 사람에게 사랑을 받거나 질병에 걸릴 염려도 있다.

◎ **벨트가 풀어지자 없어진 꿈은** / 압박받은 곳에서 해방되고 일의 청탁, 결연 등이 수포로 돌아간다.

◎ **상의를 잃어버려 찾지 못한 꿈은** / 상관, 동업자, 거래처 등에서 신용을 잃는다.

◎ **웨딩드레스를 입고 결혼식을 올린 꿈은** / 계모임, 동창회, 단체기관 등에서 자신이 주도권을 잡는다.

◎ **걸치고 있던 옷을 상대방에게 벗어준 꿈은** / 상대방이 책임을 대신 질 일이 생긴다.

◎ **옷을 우물가에서 세탁하는 꿈은** / 과거를 청산하고 새롭게 모든 일을 시작한다.

◎ **노란색이나 황금색 옷을 걸친 꿈은** / 남의 이목을 한몸에 받는다.

◎ **옷을 보자기에 싸고 있는 꿈은** / 많은 사람을 고용한다.

◎ **잠옷을 입은 꿈은** / 주택, 취직, 반려자 등을 얻는다.

◎ **예식장에 상복을 입은 사람이 나타난 꿈은** / 단체의 주도권을 잡

거나 돈을 지불할 일이 있다.

◇ **호주머니의 물건을 찾지 못한 꿈은** / 하고 있는 일이 안정을 찾지 못하고 갈팡질팡한다.

◇ **각기 다른 천으로 누덕누덕 옷을 기워 입은 꿈은** / 다른 사람의 도움으로 하고 있는 일을 계속 이어나간다.

◇ **흰눈같이 하얀옷을 입고 있는 꿈은** / 여러 방면으로 일이 순조롭게 풀린다.

◇ **양품점에서 옷을 산 꿈은** / 동업자, 신분증, 서적 등을 얻게 된다.

◇ **상대방이 어두운 옷을 입은 꿈은** / 상대방을 만났는데 그 사람에 대해서 정확한 기억을 할 수 없다.

◇ **옷 한 벌을 모두 갖추어 입은 꿈은** / 하는 일이 모두 만족스럽다.

◇ **예복, 관복 등의 옷을 얻은 꿈은** / 다른 사람을 통해서 은혜를 입거나 출세를 한다.

◇ **바지의 단추를 채웠는데 성기가 노출되어 감추려 하는 꿈은** / 자기의 주장을 너무 강하게 내세워 시비가 생긴다.

◇ **유니폼을 벗고 사복을 착용한 꿈은** / 어떤 단체에서 잠시 물러나게 된다.

◇ **속내의만 입고 걸어다니는 꿈은** / 하고 있는 일이 불안하거나 동업자의 혜택을 충분히 받지 못한다.

◇ **호주머니에서 권총이 생긴 꿈은** / 가까운 친척들이 여러 방면으로 도움을 많이 준다.

◇ **호주머니에 알밤을 넘치도록 주어담은 꿈은** / 입시, 고시, 입사 시험 등에서 좋은 성적을 거둔다.

◇ **벗어두었던 옷을 찾지 못한 꿈은** / 의지하고 있었던 곳에서 탈피

하고 근심 걱정이 사라지지 않는다.

◇ **옷이 물에 흠뻑 젖은 꿈은** / 신분, 사상 등이 크게 변하고 환경에 쉽게 적응한다.

◇ **외투를 벗어 옷걸이에 거는 꿈은** / 직접 영향을 받는 협조 기관, 동업자와 관계를 끊게 된다.

◇ **여러 사람이 수영복을 입고 있는 꿈은** / 이념 서적을 보거나 당선, 복권 등과 관계한다.

◇ **본인이 귀부인이 되어 검정 예복을 입고 대리석 궁전을 걸어다닌 꿈은** / 유산 상속 등으로 부귀로와지거나 결혼 생활이 유복해진다.

◇ **작업용 장갑을 세탁하는 꿈은** / 협조자와 일이 잘 안된다.

◇ **상대방이 비단보를 준 꿈은** / 진행 중이던 혼담이 성사된다.

◇ **검정옷을 세탁하여 걸어 놓는 꿈은** / 부모와 이별하게 된다.

◇ **관복과 활옷을 입은 꿈은** / 동업자, 결혼 상대자, 자손 등을 얻게 된다.

◇ **푸른색 계통의 옷을 입는 꿈은** / 성실한 사람을 만나게 된다.

◇ **낡은 옷을 입은 꿈은** / 질병에 걸리고 주택, 동업자, 신분 등이 쇠퇴한다.

◇ **여자의 옷을 벗기는 꿈은** / 차용증서, 문서 등을 다시 확인해 볼 일이 생긴다.

◇ **상대방이 회색옷을 입은 것을 본 꿈은** / 이중 성격을 가진 사람을 만난다.

◇ **투명한 옷을 걸치고 적진을 활보해도 알아보는 사람이 없는 꿈은** / 남의 눈을 피해서 염탐하거나 교제한다.

◇ **양말, 버선, 스타킹 등을 벗어버린 꿈은** / 의지하고 있었던 여러

곳에서 인연을 끊거나 한동안 만나지 않는다.

◇ **임금이 입는 곤룡포를 입은 꿈은** / 사회적으로 세인들에게 인정을 받는다.

◇ **이유도 없이 옷을 갈기갈기 찢는 꿈은** / 직장, 동업자, 부부, 친척 등과 멀어진다.

◇ **장롱이나 가방에 여러가지 옷을 챙겨 넣거나 차곡차곡 쌓아 놓은 꿈은** / 주변에 있는 것을 정리 정돈하게 된다.

◇ **흰옷을 입는 꿈은** / 순진무구함을 나타내고 유산 상속자와 관련이 있다.

◇ **분비물이 묻어 있는 옷을 세탁한 꿈은** / 근심, 걱정이 해소되고 물적증거가 없어진다.

◇ **중환자가 새옷을 입고 집 주변을 돌아다니는 꿈은** / 그 사람 또는 그와 비슷한 사람이 화를 당한다.

◇ **여자의 옷을 천천히 벗기는 것을 본 꿈은** / 서적, 전문 분야의 내용을 읽거나 조사한다.

◇ **많은 사람이 흰옷을 입고 서성거리는 것을 본 꿈은** / 자기의 잘못이 남을 통해서 증명된다.

◇ **누런 비옷을 입은 꿈은** / 여러 방면으로 유산 상속을 받는다.

◇ **친구의 계급장에 붉은 바탕에 많은 별이 달려있는 꿈은** / 붉은 바탕에 노란 무늬가 박힌 옷을 입은 사람을 만나게 된다.

◇ **붉은 관복을 입은 꿈은** / 사회 생활에서 다른 사람이 자신을 인정해 준다.

◇ **여자가 자신의 목에 넥타이를 매어준 꿈은** / 상대방이 자기의 의사를 잘 따라 주기를 바란다.

◇ 비단보에 그림과 글자가 수놓아져 있는 꿈은 / 자기의 사생활에 대해서 다른 사람이 시비를 걸어온다.

◇ 황금띠, 관대 등을 착용한 꿈은 / 취직이 되거나 자손을 많이 얻게 된다.

◇ 흰옷을 입은 많은 사람들이 모여서 쳐다보거나 엎드려 있는 꿈은 / 많은 군중들 가운데서 시비나 재판을 맡아 해결해 줄 일이 있다.

◇ 윗사람이 준 옷을 받는 꿈은 / 보상, 직장, 권리 등이 주어진다.

◇ 스승, 대통령, 신령적인 존재가 화려한 옷을 입은 것을 본 꿈은 / 은혜로운 일, 권위적인 일 등이 주어진다.

◇ 학자가 금화를 호주머니에 가득 주어 담은 꿈은 / 학식, 방도, 재물 등을 만족할 만큼 얻는다.

◇ 물 속에 들어가도 옷이 젖지 않는 꿈은 / 자기의 주장을 내세우지 못하고 주변 환경에 그대로 적응한다.

◇ 다듬질을 하는 꿈은 / 사업의 착수, 연마, 보완 등과 관계가 있다.

◇ 군복을 입지 않고 사복을 입은 꿈은 / 군인은 빠른 시일 내에 휴가를 나온다.

◇ 검정 치마에 해를 받았더니 오색 찬란한 속치마로 변한 꿈은 / 이것이 태몽이라면 일정한 시기가 지나면 남들이 자신을 인정해 줄 자손을 얻는다.

3) 화장품 · 화장도구

◇ 거울이 떨어지거나 저절로 깨진 꿈은 / 가깝게 지내던 사람과 멀어지게 된다.

◇ 거울 속에 비친 자신의 얼굴이 예뻐 보인 꿈은 / 젊고 예쁜 여자를 만나게 된다.

◇ 헝클어진 머리를 빗으로 빗는 꿈은 / 복잡한 일, 근심걱정 등이 제3자의 도움으로 원만하게 해결된다.

◇ 사랑하는 사람이 화장품을 사준 꿈은 / 상대방이 선물을 주거나 애정의 표시를 한다.

◇ 친구가 몰라보도록 화장을 짙하게 한 꿈은 / 다른 사람에게 주도권을 빼앗기고 사업체 간판, 명의 등이 바뀜을 본다.

◇ 거울에 아무것도 비쳐지지 않는 꿈은 / 먼 곳에서 반가운 소식이 온다.

◇ 머리 기름을 발라 머리에 윤기가 있는 꿈은 / 자신의 모습이 남에게 돋보이고 소원이 성취된다.

◇ 거울을 보면서 화장을 하는 꿈은 / 자기 이외에 다른 사람의 마음까지 움직이게 한다.

◇ 머리를 빗는데 비듬이나 이가 떨어진 꿈은 / 근심 걱정이 해소되고 미궁에 빠졌던 일이 순조롭게 풀린다.

◇ 빗으로 머리를 손질하는 꿈은 / 병을 치료하는 방법을 알게 된다.

◇ 화장이 지워져 흉하게 보인 꿈은 / 상대방을 미워하게 되고 간판, 벽화 등이 퇴색한 것을 보게 된다.

◇ 여러 종류의 화장품을 놓고 화장을 하는 꿈은 / 주변에 변화를 주거나 자신이 돋보이는 일이 있다.

◇ 자신의 얼굴을 거울에 비춰보니 검게 보인 꿈은 / 반갑지 않은 사람을 만나 기분이 불쾌해진다.

◇ 거울을 선물 받은 꿈은 / 이것이 태몽이라면 지식이 많고 사교술

에 능한 자손을 얻는다.

◈ 오색 찬란한 옷을 입고 거울을 본 꿈은 / 동업자, 반가운 사람 등을 만난다.

◈ 거울을 얻거나 남에게 선물 받은 꿈은 / 상대방에 대해서 관심을 갖게되며 그 사람에 대해서 알려고 한다.

4) 천 · 실 · 염색 · 재봉

◈ 재봉틀을 사거나 집안에 들여 놓은 꿈은 / 일을 추진하거나 어떤 기관에서 많은 도움을 준다.

◈ 가구나 집안에 페인트칠을 한 꿈은 / 간판의 명칭을 바꾸거나 사업의 변경이 있다.

◈ 다른 사람이 준 실꾸러미를 가지고 있는 꿈은 / 계획한 일, 질병 등이 오래 간다.

◈ 옷을 세탁하고 다른 색으로 물들이는 꿈은 / 사업 내용, 경영 방침 등을 변경시키고 직장을 옮기게 된다.

◈ 바늘에 손가락을 찔린 꿈은 / 사업상 여러번 고비를 겪고 반성할 일이 있다.

◈ 바늘을 잃어버려 찾지 못한 꿈은 / 하고 있는 일이 계획한대로 이루지 못하고 중간에서 중지된다.

◈ 양복감이나 비단 옷감을 사온 꿈은 / 동산, 부동산, 재물 등을 나타낸다.

◈ 손발에 인쇄 물감이 묻어 잘 씻기지 않는 꿈은 / 계약이 이루어지고 사상, 행적 등에서 이탈할 수 없다.

◇ **옷감을 필로 들여오거나 수북이 쌓아 놓은 것을 본 꿈은** / 권리, 토지, 재물 등을 얻어서 풍족하다.

◇ **솜, 털, 고치 등으로 실을 자아내는 것을 본 꿈은** / 근심 걱정을 해소시키지 못한다.

◇ **옷을 염색소로 들고 가는 꿈은** / 종교 단체에 가입하거나 교도소에 갈 일이 있다.

◇ **바늘에 꿰인 실의 꿈은** / 단체, 결혼, 시간, 연결 등을 일반적으로 나타낸다.

◇ **색실로 옷감에 수를 놓은 꿈은** / 상대방에게 애정을 표시하거나 구혼을 받을 일이 생긴다.

◇ **화가가 캔버스에 채색한 것을 본 꿈은** / 주변에서 일어난 일을 기록해 놓는다.

◇ **양복점 재단사가 재단을 한 꿈은** / 어떤 기관의 고용인이 다른 사람에게 청탁할 일이 있다.

◇ **바늘이 하늘에서 무수히 쏟아져 옷에 박힌 꿈은** / 자기가 한 일에 대해서 많은 사람들이 평가를 해준다.

5) 소지품

◇ **안경의 꿈은** / 일반적으로 동업자, 지혜, 통찰력, 선전 등의 일을 나타낸다.

◇ **안경 쓴 사람과 마주 본 꿈은** / 상대방이 자기에 관해서 여러모로 알려고 한다.

◇ **벗어 놓은 안경을 다시 쓴 꿈은** / 동업자를 만나 도움을 받는다.

◇ **여자가 수건을 쓰고 앉아 있는 것을 본 꿈은**/자기의 주장을 다른 사람이 받아주지 않는다.

◇ **우체부가 들고 오는 가방이 열려 있는 꿈은**/여러 곳에서 소식이나 편지가 온다.

◇ **담배꽁초를 버린 곳에서 불이 난 꿈은**/고민하고 있던 일이 순조롭게 풀린다.

◇ **상아로 된 파이프를 가지고 있는 꿈은**/사회적으로 인정을 받거나 좋은 작품을 쓴다.

◇ **손수건을 새로 구입하거나 만든 꿈은**/고용인, 가정부 등을 구하거나 계약서를 쓸 일이 생긴다.

◇ **쌍지팡이를 짚고 걷는 꿈은**/동업자와의 일이 잘 해결된다.

◇ **무거운 책가방을 방에다 놓고 나온 꿈은**/근심 걱정이 해소된다.

◇ **성냥갑이 젖어 부뚜막에 말린 꿈은**/다른 사람에게 일을 청탁할 일이 있다.

◇ **시계를 선물받은 꿈은**/동업자, 재물, 직장 등을 얻는다.

◇ **지팡이로 옆에 있는 사람을 때린 꿈은**/하고 있는 일에 압력을 받거나 그 일로 시비가 생긴다.

◇ **망원경을 통해 무언가를 보려다 육안으로 본 꿈은**/남을 통해서 일을 하지 않고 직접 나서서 일을 처리한다.

◇ **연못 속에 꽂혀 있는 지팡이를 얻어 사용한 꿈은**/어떤 단체에서 자신에게 임무를 부여한다.

◇ **담배를 남에게 주어 피우는 것을 본 꿈은**/자기가 원하는 것을 남이 반드시 들어준다.

◇ **라이터를 남에게 준 꿈은**/하고 싶은 일이 뜻대로 이루어지지 않

는다.

◇ **남이 준 손수건을 받은 꿈은** / 남의 고용인이 되거나 도움을 받고 그의 뜻에 동조한다.

◇ **시계가 고장난 꿈은** / 집안 사람이 병들거나 사업이 부진해지고 교통사고를 당할 일이 있다.

◇ **승리라고 쓴 수건을 머리에 동여맨 꿈은** / 정신적으로 어려운 문제에 부딪히지만 잘 극복해 나간다.

◇ **재떨이를 얻은 꿈은** / 이것이 태몽이라면 카운셀러나 경리 등에 관계된 직업을 가진 자손을 얻는다.

◇ **담배대를 새로 산 꿈은** / 직장이 알선되거나 사업을 시작한다.

◇ **안경을 새로 구입해서 쓴 꿈은** / 주변에 있는 모든 것이 새롭게 단장된다.

◇ **망원경을 통해 먼 곳의 광경을 가깝게 본 꿈은** / 미래의 일을 알거나 먼 곳에서 소식이 온다.

◇ **신분증을 제시하고 검문소를 통과한 꿈은** / 증명서를 남에게 보여주거나 정신적, 육체적 고통에서 해방된다.

◇ **심지, 휘발유, 라이터의 돌 중 어느 한가지라도 없어서 불을 켜지 못했던 꿈은** / 남에게 부탁을 하지만 상대방이 들어주지 않는다.

◇ **시계가 소포로 발송된 꿈은** / 주어진 임무를 성실하게 수행한다.

◇ **미혼녀가 재떨이를 얻은 꿈은** / 자신을 잘 이해해주고 어려운 일을 같이 풀어나갈 남성을 만난다.

◇ **금테안경을 쓴 꿈은** / 어떤 단체에서 자신을 인정해 준다.

◇ **지갑에 지폐가 가득 들어 있는 꿈은** / 여러 방면으로 만족할만한 재물이 생긴다.

◇ **담배를 상대방에게 준 꿈은** / 상대방의 소원을 충족시켜 주므로 자기에게 손실이 온다.

◇ **큰 시계를 팔목에 차지 못하고 배에 찬 꿈은** / 주도권, 사업체, 생활 능력 등을 소유한다.

◇ **지팡이의 형태가 갑자기 변한 꿈은** / 권력, 지휘능력 등이 확장됨을 나타낸다.

◇ **여러 사람들이 수건을 동여매고 뛰는 것을 본 꿈은** / 남의 명령에 굴복하고 자기 주장을 내세우는 사람을 접하게 된다.

◇ **가방 속에 문서가 수북이 쌓인 꿈은** / 하고 있는 일이 계획대로 잘 추진된다.

◇ **선글라스를 낀 사람을 본 꿈은** / 이중인격을 나타내는 사람과 접하게 된다.

◇ **얼굴을 접수계에 내밀고 들어가게 해달라고 한 꿈은** / 신상카드를 어느 기관에 제출하고 결과가 나오기를 기다린다.

◇ **수건을 어깨에 둘렀는데 그 자락이 손까지 처져있는 꿈은** / 많은 사람들이 자신의 직업을 인정해 준다.

제 6 장
하늘 · 땅 · 기상 등의 천체에 관한 꿈

1) 하 늘

◇ 하늘의 문이 열렸다가 닫힌 것을 본 꿈은 / 연구하던 일의 결과를 얻거나 승진을 하게 된다.

◇ 뇌성과 함께 나타난 무지개를 본 꿈은 / 은근히 걱정하고 있던 국가적인 일이 현실로 나타나게 된다.

◇ 티없이 맑은 하늘을 오랫동안 바라본 꿈은 / 기원하던 일이 자기 뜻대로 이루어진다.

◇ 공중에서 나는 큰소리를 들은 꿈은 / 국가적으로 좋지 않은 일이 일어난다.

◇ 하늘이 무너지거나 두갈래로 갈라져서 깜짝 놀랐던 꿈은 / 인연을 맺고 있었던 사람과 헤어지거나 주위에서 좋지 않은 변화가 일어나게 된다.

◇ 자신이 하늘에 오른 꿈은 / 하는 일마다 순조로워서 성공을 하게 되며 명예도 따라서 많은 사람들이 우러러본다.

◇ 하늘의 문을 통해서 하늘로 들어간 꿈은 / 생애 최고의 목적이 달

성되며 명예로운 자리에 추대된다.

◇ **하늘에서 사람들의 음성이 들렸던 꿈은**/자신과 관련된 여러가지의 일이 우후죽순 격으로 일어나게 된다.

◇ **용이 승천한 뒤 용이 있던 자리에 교회가 생긴 꿈은**/사회사업을 할 일이 생기고 그 일을 기꺼이 받아들이게 된다.

◇ **어떤 물체가 허공에서 완전히 분해되어 버린 것을 본 꿈은**/형제처럼 지내던 사람이 사망 또는 행방불명 되거나 하던 사업이 큰 타격을 입게 된다.

2) 눈과 비

◇**눈에 찍힌 발자국을 그대로 따라간 꿈은**/사회적으로 지도자격인 사람의 동상을 세우는 등 그 업적을 기리게 되고 추종할 일이 생긴다.

◇ **폭설이 쏟아져 수많은 건물이 내려 앉는 것을 목격한 꿈은**/자기가 하고 있는 개인적인 일에 국가가 협조해서 크게 번창하게 된다.

◇ **눈 위에서 썰매나 스키를 탄 꿈은**/사업가는 사업이 급속도로 성장하게 되고 취직, 시험 등에 좋은 소식을 듣게 된다.

◇ **함박눈을 맞으며 한없이 걸었던 꿈은**/국가의 지원을 받게 되며 법을 지켜야 할 일과 직면하게 된다.

◇ **눈사태 등이 일어나서 건물의 일부가 부서져나간 것을 본 꿈은**/시험에 떨어지거나 하던 일이 실패해서 의욕을 상실하게 된다.

◇ **눈을 맞으며 걷는 사람을 본 꿈은**/집안 사람 중에서 누군가가 죽게 되며 고소당할 일이 생기게 된다.

◇ 목욕을 하는데 수온이 급격히 내려가서 몸이 꽁꽁 얼어버린 꿈은 / 하는 일마다 승승장구해서 만족감을 맛보게 된다.

◇ 얼음을 깨고 그 물 속에서 목욕을 하는데 물이 따뜻했던 꿈은 / 헤어나기 어려웠던 일이 슬슬 풀려서 고민이 사라지게 된다.

◇ 우박이 눈처럼 쌓인 것을 본 꿈은 / 물질적으로나 정신적으로 큰 만족감을 얻을 일과 직면하게 된다.

◇ 싸라기 눈이 내리는 것을 본 꿈은 / 일같지도 않은 일들이 얼키고 설켜서 복잡한 마음이 사라지지 않는다.

◇ 비가 와서 말랐던 논에 물이 가득 고인 꿈은 / 재물이 생기거나 막강한 세력을 얻게 된다.

◇ 살얼음이 얼어 있는 것을 본 꿈은 / 오랜 세월이 지난 후에 결과를 보게 될일을 하게 된다.

◇ 말리기 위해 헤쳐놓은 물건 위에 빗방울이 떨어진 꿈은 / 남의 물건을 빌려 주거나 빚을 주고 떼이게 된다.

◇ 비가 내리는데 그 속에 눈이 섞여있는 꿈은 / 하는 일마다 두마리의 토끼를 쫓는 꼴이 되어 일이 이루어지지 않는다.

◇ 비를 피하기 위해 처마밑으로 들어간 꿈은 / 시비를 걸어오는 사람이 있거나 사회적인 제재를 받을 일이 있어도 순조롭게 피해간다.

◇ 강가에 널려 있는 조약돌 위에 비가 내리는 걸 본 꿈은 / 자기가 일에 대해 타인으로부터 칭찬을 받거나 작품전에 출품한 작품이 입상을 하게 된다.

◇ 유리창문으로 빗방울이 거세게 들이친 것을 본 꿈은 / 자신의 신분이나 실력을 많은 사람들로부터 인정받게 된다.

3) 벼락 · 천둥 · 번개

◇ **벼락을 맞아 죽는 꿈은**/국가나 사회적으로 명성을 얻거나 보상을 받을 일이 생긴다.

◇ **나무가 벼락을 맞아 꺾어진 것을 본 꿈은**/사업에 큰 타격을 입거나 추진중인 일이 잘 풀리지 않는다.

◇ **벼락이 떨어졌는데 그 벼락이 공처럼 땅위에서 굴러다니는 걸 본 꿈은**/응시한 시험에 합격하거나 감히 상상도 할 수 없었던 일을 성사시켜 많은 사람들로부터 칭송을 듣게 된다.

◇ **길을 가는데 벼락이 등에 떨어진 꿈은**/사업의 동업자나 자신을 협조해 주던 사람에게 좋은 일이 일어난다.

◇ **맑은 날씨인데도 천둥소리가 요란한 꿈은**/톱뉴스를 듣게 되거나 누구로부터 경고당할 일이 생긴다.

◇ **어디인지는 모르지만 멀리 떨어진 곳에서 천둥소리가 희미하게 들렸던 꿈은**/멀리 떨어진 곳, 즉 외국 등지에서 무슨 소식이 오게 된다.

◇ **번개가 온누리를 밝게 했던 꿈은**/막혔던 일이 슬슬 풀리고 기쁜 소식까지 듣게 된다.

4) 해

◇ **해가 두쪽으로 갈라진 것을 본 꿈은**/집안에 분열이 생기거나 자기와 관계된 단체 등에서도 분열이 생기게 된다.

◇ **해를 단숨에 꿀꺽 삼켜버린 꿈은**/어느 모임이나 단체에서 지도

자격의 자리에 앉게 된다.

◇ 해를 향해서 경건한 마음으로 절을 한 꿈은 / 국가기관에 부탁할 일이 생기고 그 부탁이 받아들여져서 어떤 이득을 취하게 된다.

◇ 해를 삼켰는데 그것이 태몽인 꿈은 / 명예나 권력 중 하나를 움켜쥘 인물이 태어나게 된다.

◇ 두 개의 해가 나란히 떠 있는 꿈은 / 어떤 일에 부딪히든 두 갈래의 길이 있으며 진행방향도 마찬가지이다.

◇ 떨어진 해를 받아서 안고 방으로 들어간 꿈은 / 초년, 중년은 지극히 평범하나 늘그막에 부귀영화를 누리게 된다.

◇ 강에서 해가 떠오르는 것 같았는데 눈깜짝할 사이에 중천까지 치솟아 있는 것을 본 꿈은 / 모자가 이별을 하나 자식이 성공한 다음에 다시 만나게 된다.

◇ 해가 지붕에 떨어져서 데굴데굴 구르는데 그것이 태몽인 꿈은 / 예술가나 과학자가 되어 세계에 그 이름을 떨칠만한 아이가 태어나게 된다.

◇ 햇빛이 유난히 따사롭다고 느낀 꿈은 / 누군가를 위해 사랑과 자비를 베풀 일이 생긴다.

◇ 해가 둥글지 않고 찌그러져 있는 것을 본 꿈은 / 현재 추진하고 있는 일에 발전이 없다.

◇ 햇빛이 자기 몸을 감싸고 있었던 꿈은 / 병에 걸려 있는 사람은 치료가 되며 직장인은 진급이 되고 계획했던 일은 성공을 거두게 된다.

◇ 떨어지는 해를 치마폭으로 받았는데 그것이 태몽인 꿈은 / 국가와 사회를 위해 헌신적으로 일할 사람이 태어난다.

◇ 상식적으로는 햇빛이 들 수 없는 방 등에 햇빛이 밝게 비친 꿈은

/ 남에게 축하받을 일이 생기며 영광스러운 일이 생기게 된다.

◇ **손으로 해를 움켜잡았는데 그것이 태몽인 꿈은** / 일 자체가 크건 작건 우두머리가 될 아이가 태어나게 된다.

5) 달 · 별

◇ **물 속에 비친 달을 본 꿈은** / 사회적으로 유명한 사람과 접촉을 가지게 된다.

◇ **달을 품에 꼬옥 안은 꿈은** / 결혼할 상대자가 나타나게 된다.

◇ **방으로 달빛이 들어와 대낮처럼 밝았던 꿈은** / 집에 경사가 생기고 기쁜 소식이 오며 걱정하고 있었던 일이 말끔히 해결된다.

◇ **하늘에서 달이 떨어졌는데 흔적도 없이 사라져버린 꿈은** / 사회적으로 유명한 지도자급 인사가 사망하게 된다.

◇ **달을 바라보며 술을 한잔 마신 꿈은** / 막중한 책임이 주어지거나 어떤 일을 했을 때 큰 성과를 거두게 된다.

◇ **둥근 보름달이 아닌 기타의 달을 본 꿈은** / 자신과 관계된 일 중에서 일부분을 여러 사람에게 공개할 일이 생긴다.

◇ **경건한 마음으로 달을 향해 절을 한 꿈은** / 상급기관이나 상사에게 무슨 일을 부탁할 일이 생기며 그 일이 해결된다.

◇ **달무리가 무지개처럼 찬란하게 보인 꿈은** / 부부사이가 매우 호전되어 행복해지며 남에게 자랑할만한 일이 생기게 된다.

◇ **어두컴컴한 달밤에 상가집을 간 꿈은** / 원수처럼 지내거나 사이가 좋지 않았던 사람과 진지하게 상의할 일이 생긴다.

◇ **샛별이 유난히 찬란하게 빛나고 있는 걸 본 꿈은** / 이름을 날릴

일이 생기거나 사업을 권장하는 사람이 나타나게 된다.

◈ **별이 낙엽처럼 떨어진 걸 본 꿈은**/사업상 손해를 입을 일이 생기거나 개혁을 단행할 일이 생긴다.

◈ **고정되어 있던 별 몇 개가 갑자기 날아다니는 꿈은**/동반자가 바람을 피울 일이 생긴다.

◈ **많은 별 속에서 유난히 밝게 빛나는 별을 본 꿈은**/어떤 단체에서 최고 높은 자리에 앉게 되거나 자기 작품에 대해 좋은 평가를 받게 된다.

◈ **동쪽하늘에서 밝은 별이 세차례 반짝거리다가 사라지고 그곳으로 비행물체가 지나가는 걸 본 꿈은**/거의 비슷한 일을 세차례 겪고난 다음 좋은 일을 얻게 된다.

◈ **자신이 별 네개를 단 대장이 된 꿈은**/사회적으로 적어도 네가지 이상의 공로를 세워서 각종 단체의 우두머리로 추대된다.

◈ **하늘에서 무수한 별이 쏟아져 땅에 쌓인 꿈은**/연구자료를 수집할 일이 생기거나 창작품을 발표하게 된다.

◈ **밤하늘에 유난히 많은 별이 네온사인처럼 요란하게 빛난 꿈은**/하는 일마다 만사형통하며 많은 사람들로부터 인정을 받게 된다.

6) 무지개

◈ **나무나 꽃 등의 식물에서 찬란한 빛이 피어오르는 꿈은**/어려운 일을 쉽게 처리하게 되거나 부귀영화를 누리게 된다.

◈ **자기 집에서 무지개가 피어오르는 꿈은**/진행 중이던 혼담이 성사되거나 멀리 객지에 나갔던 가족이 무사히 귀환하게 된다.

◇ **조명기구, 네온사인 등이 오색찬란하게 빛을 발하고 있는 것을 본 꿈은** / 명예로운 일이나 경사스러운 일이 생기게 된다.

◇ **불상이나 성모상 등 신령적인 물체에서 빛이 발산된 꿈은** / 종교적 지도자나 위인으로 일컬어지는 사람과 관계하게 되며 종교성을 띤 작품과도 인연을 갖게 된다.

◇ **찬란하던 무지개가 갑자기 희미해지거나 중앙이 끊어진 꿈은** / 기대했던 일이 깨어지거나 약속이 취소되는 등 좋지않은 일과 관계한다.

◇ **어떤 물체에서 무지개빛이 자꾸만 새는 꿈은** / 갈팡질팡하던 일에 어떤 결정을 내리게 되고 남의 입에 자신의 이름이 오르내리게 된다.

7) 안개 · 구름

◇ **하늘로 승천한 용이 구름 속으로 모습을 감춘 꿈은** / 국가와 관계되는 기관에서 중요한 직책을 맡게 된다.

◇ **하늘의 구름이 서서히 노란색으로 변한 꿈은** / 명예로운 일과 재물을 한꺼번에 얻게 된다.

◇ **신선처럼 구름을 타고 다닌 꿈은** / 어떤 모임이나 단체에서 최고의 자리에 앉게 되며 현재 하고 있는 사업도 승승장구한다.

◇ **청천하늘이 갑자기 흐려지며 밤처럼 어둡게 변한 꿈은** / 나라에 큰 혼란이 일어나 시끄러워지게 된다.

◇ **휘황찬란한 오색구름을 본 꿈은** / 모든 사람들이 부러워하고 긍정적인 생각으로 받아들일 사업을 벌이게 된다.

◇ **안개가 잔뜩 끼어서 사물의 형체를 알아볼 수가 없는 꿈은** / 질병

에 걸리거나 재난을 당하고 걱정거리가 생기게 된다.

◇ **빨갛게 타는 저녁노을을 바라보고 있었던 꿈은**/오래 사귀다보면 크나큰 도움을 줄 사람과 만나게 된다.

◇ **먹구름이 끼고 연속으로 번개가 치는 꿈은**/어떤 회사에서 귀찮을 정도로 입사를 권고하거나 신문지상 등에 자기에 대한 좋은 기사가 실리게 된다.

◇ **넓은 하늘에 온통 먹구름 뿐이었던 꿈은**/무슨 일을 하든 불쾌감과 불만감이 동반하게 된다.

8) 바람

◇ **순풍이 불어서 돛단배가 순항을 한 꿈은**/관가 등의 힘있는 협조세력의 도움을 받아 하고 있는 사업이 날로 번창한다.

◇ **태풍이 불어서 무수한 나무가 꺾어진 꿈은**/친분이 두터운 훌륭한 인재나 재산이 외부의 압력을 받아 사망하거나 없어지게 된다.

◇ **태풍이 불어 바닷물이 뒤집히거나 육지의 온갖 식물이 꺾어지는 등 아수라장이 된 꿈은**/자신의 능력이나 재산 따위를 자랑하다가 봉변을 당하거나 몰락하게 된다.

◇ **불상이 있는 곳으로 매운 바람이 몰아치는 꿈은**/사회적으로 유명한 종교인과 관계를 맺게 된다.

◇ **바람을 일으키는 기구를 사용한 꿈은**/모든 면에서 도움을 받을 수 있는 협조기관과 유대를 맺게 된다.

◇ **태풍이 부는 가운데에서도 작업을 한 꿈은**/권력기관의 간섭에 의해 진행중인 일이 중단되어 좌절감을 맛보게 된다.

◇ **바람이 거세게 불어 흙이나 돌멩이 등이 날아다녔던 꿈은** / 신앙적인 기적이 일어나는 것을 목격하게 된다.

◇ **불이 난 현장에 바람이 몰아붙혀 불길이 거세어진 꿈은** / 여러 방면으로부터 도움을 받아 사업 등이 불길처럼 번창한다.

◇ **비바람이 무서움을 느낄 정도로 세차게 몰아친 꿈은** / 사회에 커다란 혼란이 일어나거나 개인적으로는 질병에 걸리기 쉽고 까닭도 없이 불안에 떨게 된다.

◇ **의복이나 소지품이 바람에 날린 꿈은** / 외부의 간섭으로 인해 손해를 입게 되며 해결할 수 없는 일을 다른 사람에게 부탁하게 된다.

제 7 장
사람이나 직업에 관한 꿈

1) 가 족

◇ **지난날 자기에게 불리하게 대했던 사람이 나타난 꿈은** / 일반적으로 비협조적이고 방해적인 인물을 만나게 된다.

◇ **삼촌집에서 친구집으로 가는 꿈은** / 직장을 다른 곳으로 옮긴다.

◇ **짝사랑에 빠졌던 여자가 자기 품에 안기는 꿈은** / 동업자와 일을 착수하나 뜻대로 해결되지 않는다.

◇ **객지 생활하는 사람에게 가족이 보인 꿈은** / 가족에게 화근이 생기는 것이 아니라 직장일과 관련이 있다.

◇ **꿈 속에서 또 다른 자신의 꿈은** / 자신의 작품, 가족, 동업자 등을 일반적으로 나타낸다.

◇ **별거중인 가족과 함께 있는 꿈은** / 일반적으로 직장 또는 일을 부탁한 어떤 기관의 내부 사람들을 만나게 된다.

◇ **한 자리에 여러 세대가 모인 꿈은** / 자신의 일에 일일이 간섭하는 사람이 나타나게 된다.

◇ **자기의 모습이 희미하게 인식되는 꿈은** / 자기의 작품에서, 작품

의 이미지, 작중 인물의 성격 등을 정확히 구분을 못한다.

◎ **주변 사람들 중에서 평소 자신에게 도움을 준 사람을 본 꿈은**/자신에게 협조적으로 도와줄 사람이 나타나게 된다.

◎ **근친상간을 했는데 떳떳하게 행동했던 꿈은**/가까운 사람이 어떤 일거리를 가지고 찾아오게 된다.

◎ **낮에 못다한 연애를 꿈 속에서 계속하는 꿈은**/다른 사람과 상관없이 자기 소신껏 일해도 좋은 결과를 얻게 된다.

2) 꿈 속에 나타난 사람

◎ **일거리의 상징물로서 남녀의 꿈은**/각자 남녀가 맡은 것을 구분해서 일을 한다.

◎ **꿈 속에 나타난 사람이 희미하게 보인 꿈은**/기억의 부실로 불분명한 사람, 일거리, 사건 등과 관계해서 불이익을 당할 일과 관계하게 된다.

◎ **사원들이 백발이 성성한 노인으로 변해 있는 꿈은**/사원들이 매우 고달픈 일에 몰두해 있다는 것을 알게 된다.

◎ **꿈에 나타난 상대방을 잘 기억하지 못하는 꿈은**/자기와의 친분관계, 얼굴의 표정, 장소와 사건 등을 고려해서 그가 현실의 누구라는 것을 알 수가 있다.

◎ **어떤 남성을 여성으로 동일시하는 꿈은**/그의 성격이 여성적이고, 용모가 여자같을 때, 자애로움이 있을 때, 이중 인격을 보일 때 등을 나타낸다.

◎ **사실적이거나 투시적인 꿈은**/꿈 속에 나타난 그 사람을 미래의 현실에서 실제로 상관하게 된다.

◇ **어떤 일거리와 상관된 상대방의 연령의 꿈은** / 하고 있는 일이 쉽게 해결되지 않는다.

3) 갓난아이

◇ **갓난아이를 안아준 꿈은** / 정신적인 일로 한 때 고민한다.

◇ **아이를 낳았는데 낳자마자 걸어다닌 것을 본 꿈은** / 어떤 작품이 출판되어 널리 보급된다.

◇ **갓난아이와 성교한 꿈은** / 유치한 사람과 협의하거나 동업할 일이 있고 완전하지 못한 일을 맡아 한다.

◇ **갓난아이를 죽인 꿈은** / 하고 있는 일이 성사되고 근심 걱정이 말끔히 해소된다.

◇ **수염이 길고 백발이 성성한 노인의 꿈은** / 사회적으로 존경받으며 인격의 소유자나 학자를 만나게 된다.

◇ **갓난아이를 안았거나 업은 여자가 따라온 꿈은** / 누군가가 하찮은 일로 시비를 걸어 말다툼을 하게 된다.

◇ **아이를 낳거나 낳는 것을 본 꿈은** / 일거리, 재물, 작품 등을 얻고 성사된다.

◇ **갓난아이를 때리는 것을 본 꿈은** / 하고 있는 일을 좀 더 변화있게 연구한다.

◇ **갓난아이가 똥오줌을 싸서 옷과 몸에 묻어 기분이 나빠진 꿈은** / 남에게 기분 나쁜 소리를 듣거나 창피당한다.

◇ **임신을 한 여자를 본 꿈은** / 어떤 일을 추진하고 그것에 대한 성과를 기다린다.

◎ 갓난아이의 알몸을 쓰다듬는 꿈은 / 기분 나쁜 일에 직면하거나 자위 행위를 할 일이 생긴다.

◎ 살아 있는 어른이 어린아이로 보인 꿈은 / 무슨 일을 하든 상대방의 행동을 자기와 비교하여 판단한다.

◎ 신령적인 존재가 어린애를 데려와 주거나 저절로 나타난 것을 본 꿈은 / 이것이 태몽이라면 장차 자라서 학문적으로 이름을 날린다.

◎ 어른인 자신이 꿈 속에서 학생이 되어 어른과 관계하는 꿈은 / 자기보다 모든 면에서 뛰어난 사람과 접하게 된다.

◎ 갓난아이의 시체가 관에 담겨진 것을 본 꿈은 / 자기가 하고 있는 일이 남을 통해서 인정을 받는다.

◎ 갓난아이의 똥을 손으로 주무른 꿈은 / 마음이 편안해지고 여러 방면으로 재물이 생긴다.

◎ 갓난아이가 출산되거나 여러 명 모여 있는 꿈은 / 성욕을 억제할 수 없거나 일거리가 많이 생긴다.

◎ 갓난아이가 자기 옆에서 사라져 버린 꿈은 / 근심 걱정이 해소된다.

4) 경관 · 신문기자 · 군인

◎ 적병에게 쫓기는 꿈은 / 질병에 걸리거나 계획했던 일을 성사시키지 못한다.

◎ 집에 신문기자가 방문한 꿈은 / 자신의 신변에 관해서 알려고 하는 사람이 있다.

◎ 자기 도장을 경찰관이 찍어간 꿈은 / 가정에 화근이 생긴다.

◇ **군인이 아닌 자신이 완전무장을 한 꿈은**/어떤 단체에서 주도권을 쥐게 된다.

◇ **군복을 착용하고 적진을 향해 걷는 꿈은**/어떤 기관에 의해서 사업, 일거리, 작품 등이 어려운 절차를 거치게 된다.

◇ **일반인이 장교가 된 꿈은**/어떤 단체의 지도자가 되어 그 단체를 이끌어 나간다.

◇ **자신을 경찰관이 연행해 가는 꿈은**/자신이 하고 있는 일을 제3자에 의해서 평가 받는다.

◇ **신문기자와 인터뷰를 한 꿈은**/자신의 행동거지를 남에게 체크당하거나 행적, 업적 등을 누구에게 설명하게 된다.

◇ **경찰관이 집을 포위한 꿈은**/남에게 부탁한 일이 성사 직전에 있거나 위험한 사건이 발생한다.

◇ **행진하는 군인들을 본 꿈은**/계획하고 있는 일이 잘 추진된다.

◇ **전사자의 유골을 군인이 안고온 꿈은**/하고 있는 일이 뜻대로 성취되어 세인의 주목을 받는다.

◇ **장교나 사령관에게 훈장을 받은 꿈은**/명예가 주어지고, 기합이나 구타를 당하면 문책 또는 중대한 책임이 주어진다.

◇ **사복형사가 집안을 수색하는 꿈은**/남에게 여러가지 질의응답을 받게 된다.

◇ **남을 살해하고 경관에게 쫓겨다닌 꿈은**/입사 시험, 논문, 고시 등에서 낙방한다.

◇ **수갑을 찬 채 끌려간 꿈은**/취업, 질병, 죽음, 일의 성사 등을 나타낸다.

◇ **검문소에서 신분증을 제시한 꿈은**/자신의 신분을 내세울 수 있

는 것을 자랑으로 삼을 일이 있다.

◎ 문학작품의 광고를 내려는 사람이 군대가 행진한 것을 본 꿈은 / 계획하고 있는 일이 뜻대로 추진된다.

◎ 경관이 총을 겨누자 공포에 떤 꿈은 / 심적 고통을 받는다.

◎ 적병을 차례차례로 총살한 꿈은 / 관청의 일이나 계획한 일 또는 침체된 일이 달성된다.

◎ 자기가 사진을 찍거나 녹음해가는 꿈은 / 다른 사람에게 자유를 구속 받는다.

◎ 호출장이나 영장을 경찰이 보낸 꿈은 / 당첨, 취직, 체포, 입원 등의 통지서가 온다.

◎ 군인이 무기를 잃어 버린 꿈은 / 동업자나 일에 대한 방법과 추진력을 잃게 된다.

5) 대중 · 예언자 · 무당 · 인물 · 합성동물

◎ 동물이 사람으로 변한 꿈은 / 미완성 된 일이 완성 단계에 이른다.

◎ 군중이 자기 옆을 걸어가는 꿈은 / 자기가 맡고 있는 일이 급속히 추진된다.

◎ 정신병자인 여자나 노인이 방안을 들여다 본 꿈은 / 갖은 질병에 시달린다.

◎ 많은 사람이 자기 주변에 함께 있는 꿈은 / 대중적이며 사회적인 일과 관련된다.

◎ 골상이나 수상을 관상가에게 본 꿈은 / 남에게 자기의 신변에 관

해서 의논하거나 설명한다.

◇ **많은 군중이 장례 행렬을 따르는 꿈은** / 자신의 공적을 많은 사람들이 인정해 준다.

◇ **공공단체에서 행진을 하는데 맨 앞에 서서 걸어간 꿈은** / 단체의 주도권을 잡거나 자신이 하는 일을 불안해 한다.

◇ **점장이나 예언자의 집을 찾아간 꿈은** / 자기와 상담할 수 있는 집을 찾거나 학문적 자료가 보관된 곳을 견학하거나 연구한다.

◇ **군중이 빙 둘러서서 무언가를 지켜본 꿈은** / 동일한 것을 연구하거나 쟁취하려고 한다.

◇ **황소만한 두 사람이 악수한 꿈은** / 여러 국가나 사회 단체 등이 통합된다.

◇ **앉은 키가 하늘에 닿고 수염이 강줄기처럼 긴 거인을 본 꿈은** / 사회적으로 인정받는 정치가나 학자를 만나게 된다.

◇ **보석을 스크린에 비쳐 점을 친 노인의 꿈은** / 학문적으로 심리 상태를 관찰하는 어떤 심리학자나 예언자를 나타낸다.

◇ **시위 군중 속에 끼어 자신이 시위를 한 꿈은** / 사회단체의 일원으로 당국에 청원할 일이 있다.

◇ **정신병자가 죽어 있는 꿈은** / 자기의 일을 남에게 과시한다.

◇ **호랑이가 사람으로, 뱀이 닭으로 돌변한 꿈은** / 어떤 일거리의 성격 변화, 일의 성사 여부 등을 나타낸다.

◇ **군중을 호령해서 행동하게 만든 꿈은** / 자기가 원하는 것이 뜻대로 이루어진다.

6) 공무원 · 통치가

◇ **대통령과 함께 나란히 걸어간 꿈은** / 자기가 가장 존경할 만한 사람과 동업을 하거나 같이 의논을 한다.

◇ **자신이 영부인이 되어 대통령을 따라가는 꿈은** / 남편이 하는 일을 도와주거나 사업체의 일원으로써 맡은 일에 성실하게 된다.

◇ **대통령의 거실로 따라들어간 꿈은** / 일의 성사, 진급, 권세 등의 일이 이루어진다.

◇ **국회의원 연설을 자세히 듣는 꿈은** / 자기의 신변에 관한 이야기를 남을 통해서 듣게 된다.

◇ **타국 대통령과 비행기를 함께 탈 샐러리맨의 꿈은** / 다른 회사의 사장이 자신을 발탁하여 그곳으로 스카웃 해간다.

◇ **왕이 베푼 만찬회에 초대된 꿈은** / 권위 있는 사람, 지도자가 베푸는 일, 회담 등에 참석한다.

◇ **재판관에게 사형 언도를 받는 꿈은** / 자기가 소원한 일이 뜻대로 성취된다.

◇ **대통령이 수행원과 함께 자기 집을 방문한 꿈은** / 어떤 단체나 기관에서 자기에게 막중한 책임을 맡긴다.

◇ **대통령의 의관이 단정하지 못한 꿈은** / 사회의 질서가 문란해지거나 집안 어른의 인격과 신분에 이상이 생긴다.

◇ **자신이 국가의 통치자가 된 꿈은** / 어떤 단체의 주도권을 잡거나 자기 일거리나 작품으로 세인의 관심거리가 된다.

◇ **재판을 받는데 방청객이 많이 몰린 꿈은** / 어떤 단체에서 설교와 설법을 들을 일, 선택할 일, 작품의 평가 등을 받을 일이 있다.

◇ **대통령의 표창을 받은 꿈은** / 어떤 단체에서 명예와 권리가 자신에게 주어진다.

◇ **자신이 대통령이 된 꿈은** / 어떤 기관의 지도자가 되며 명예나 권세가 주어진다.

◇ **준엄한 논고를 검사가 한 꿈은** / 자신이 하고 있는 일이 불안하거나 양심의 가책을 받는다.

◇ **수상이 되어 내각을 조직한 꿈은** / 어떤 조직체의 주도권을 잡게 된다.

◇ **음식을 대통령에게 대접한 꿈은** / 자기가 존경할 분에게 일거리를 부탁하고 청원할 일이 있다.

◇ **군중 속에서 대통령을 환영한 꿈은** / 국가 시책에 호응해서 좋은 일이 있다.

◇ **재판관이나 변호사에게 자기 신변에 관해서 이야기 한 꿈은** / 제3자에게 무엇인가를 서로 의논하게 된다.

◇ **대통령이 자기 집을 방문하겠다고 길에서 약속받은 꿈은** / 자기에게 최대의 명예나 권리가 주어진다.

7) 도둑 · 창녀 · 거지 · 가정부 · 악한

◇ **악한이 무서워 도망친 꿈은** / 계획한 일이나 좋은 기회를 놓치고 좌절감에 빠진다.

◇ **일꾼이 정원을 청소한 것을 본 꿈은** / 자신에 관한 일을 제3자가 앞장서서 잘 처리해 준다.

◇ **도둑을 보고 두려워 하는 꿈은** / 어렵고 힘든 일에 직면한다.

◇ **악한을 처치한 꿈은** / 곤란하고 쉽게 해결되지 않은 일이 풀리기 시작한다.

◇ **자신의 모습이 흉한 꿈은** / 신분의 몰락, 고립 등의 일이 생긴다.

◇ **밀폐된 곳으로 안내원이 사라져 버린 꿈은** / 어떤 모함에 빠지거나 억압 당한다.

◇ **창녀와 나란히 걷거나 노는 꿈은** / 어떤 모임에서 술좌석을 벌이고 여자를 포옹할 일이 있다.

◇ **음식을 가정부가 가져다 준 꿈은** / 어떤 기관의 실무자나 협조자가 자기에게 일을 맡긴다.

◇ **거지와 동행한 꿈은** / 외로운 사람을 접하게 되고 개선돼야 할 일을 맡게 된다.

◇ **바위나 비석에 새겨진 이름을 본 꿈은** / 어떤 기관의 간판 또는 칭호가 새롭게 바뀌게 된다.

◇ **구걸하는 거지에게 동냥을 한 꿈은** / 근심 걱정이 모두 해소된다.

◇ **악한에게 여러번 시달리는 처녀의 꿈은** / 미혼자는 여러 군데에서 혼담이 들어오지만 썩 마음에 내키지 않는다.

◇ **악한에게 살해되거나 상처를 입은 꿈은** / 자기 일을 제3자에 의해서 평가를 받는다.

◇ **자신이 파출부나 식모가 된 꿈은** / 미혼녀는 결혼식을 올리거나 취직이 된다.

8) 교직자 · 승려 · 죄수 · 신도 · 목사 · 학생

◇ **교실에서 수업을 받는 꿈은** / 직장에서 상사에게 잘못을 캐묻고

책망 받는다.

◇ **교실에서 자신의 책상과 걸상을 찾지 못한 꿈은**/고시, 취직, 입시 등에서 실패한다.

◇ **명성을 떨친 목사와 함께 있거나 걸어간 꿈은**/어떤 지도자나 학자와 접하고 감명깊은 책을 읽는다.

◇ **승려에게 시주한 꿈은**/자신의 일을 제3자를 통해서 어떤 기관에 소청할 일이 있다.

◇ **불경책을 노승에게 받은 꿈은**/여러 사람에게 자신을 인정받고 출세할 방도가 생긴다.

◇ **과거의 스승과 관계한 꿈은**/은혜로운 협조자와 관계한다.

◇ **자신 앞에 많은 학생이 줄지어 있는 꿈은**/하고 있는 일이 쉽게 추진되지 않는다.

◇ **신도에게 설교를 하거나 성경을 읽어준 꿈은**/자기의 작품을 발표하거나 남을 설득할 일이 있다.

◇ **수녀원에 자신이 들어간 꿈은**/학교, 직장, 교도소, 교회 등에 일이 있어서 가게 된다.

◇ **교직자가 교장과 교감을 본 꿈은**/실제 인물이거나 학무 과장 등과 상담할 일이 생긴다.

◇ **학생이 존경할 수 없는 선생님을 본 꿈은**/웃사람에게 책망을 듣거나 기분 나쁜 일이 생긴다.

◇ **고승을 직접 대한 꿈은**/연구자, 스승, 회사 사장 등을 직접 상관하게 된다.

◇ **자기 설교에 많은 사람이 죽거나 잠든 꿈은**/많은 사람이 자기를 따르게 되고 심복을 만들 수 있다.

◇ 자신이 과거의 학창시절로 돌아간 꿈은 / 하고 있는 일이 숙달되지 않아서 남의 도움을 받는다.

◇ 교장, 교감을 현역군인이 본 꿈은 / 사단장과 부사단장, 대대장 등과 접할 일이 생긴다.

◇ 스님이 문전에서 염불한 꿈은 / 이것이 태몽이라면 스님에게 시주를 해야 좋고 장차 학문 연구를 할 자손을 얻는다.

◇ 스님에게 잡곡을 시주한 꿈은 / 심사 과정에서 탈락하거나 학문 연구가 깊지 못함을 인정받는다.

◇ 파계승이라고 판단된 사람과 관계한 꿈은 / 부랑아, 천박한 사람, 신의없는 사람 등을 나타낸다.

◇ 은사가 들판길을 걷고 있는 꿈은 / 일이 독단적으로 풀리지 않고 협조자에 의해서 풀린다.

◇ 죄수복을 입은 꿈은 / 병원에 갈 일이나 자기 일거리, 자기 작품이 심사 대상이 된다.

◇ 단체로 학생을 움직이게 한 꿈은 / 많은 사람이 자기 뜻대로 따라주고 자기가 연구 과제를 발표한다.

9) 친척 · 친구 · 기타

◇ 전혀 모르는 사람이 나타나서 자신과 거래한 꿈은 / 제3자, 일거리, 실제로 만나게 될 사람, 다른 사람의 동일시 등을 나타낸다.

◇ 자신에게 충고한 친구의 꿈은 / 자기 아닌 또 하나의 자아를 발견한다.

◇ 길에서 잠깐 본 사람이 꿈 속에 자주 나타난 꿈은 / 자기와 비슷한 사람을 만나거나 현재의 주변 인물을 나타낸다.

제 8 장
음식물에 관한 꿈

1) 여러가지 음식

◇ 떡을 먹는 꿈은/재물이나 그와 관계된 일거리를 받게 된다.

◇ 떡을 여러 사람들에게 나누어 준 꿈은/어떤 소식이나 도서 등을 남에게 들려주거나 나누어 줄 일이 생긴다.

◇ 유가증권이란 생각이 들었던 음식물에 대한 꿈은/혼자서 외롭게 결정해야 할 일이 생긴다.

◇ 빵에 크림 종류 등을 발라서 먹은 꿈은/남들이 쳐다보지도 않던 일을 맡아 훌륭하게 가꾸어 놓는다.

◇ 임금님이 손수 따루어주는 술을 받아 마신 꿈은/중요한 직책의 자리에 앉게 되거나 명예가 뒤따르는 일을 맡게 된다.

◇ 삶거나 굽지 않은 날음식을 맛있게 먹은 꿈은/경험이나 지식이 없는 일을 처리해야 할 환경에 처하게 된다.

◇ 먹음직스러워보이던 음식이 갑자기 똥으로 변한 꿈은/전혀 노력을 하지 않았는데도 돈을 얻게 된다.

◇ 배가 고파서 음식점을 찾는데 끝내 찾지 못한 꿈은/현재 다니고

있는 회사에서 실직하여 남에게 취직을 부탁하게 된다.

◇ **남에게 빼앗길까봐 숨어서 살며시 음식물을 먹은 꿈은**/어떤 일을 자기 혼자서 해결해야 된다.

◇ **음식물을 여러 사람과 나누어 먹은 꿈은**/여러 사람이 협력해서 처리해야 할 일이 생긴다.

◇ **과일이나 과자 등을 바라보기만하고 먹지는 않았던 꿈은**/남이 하고 있는 일에 참여하고 싶지만 여건이 맞지 않아 그저 바라보기만 할 일이 생긴다.

◇ **음식물을 유난히 꼭꼭 씹어먹었는데 그것이 태몽인 꿈은**/임신 중에 유산이 되거나 정상적으로 태어나기가 어렵다.

◇ **잔치집 등에 많은 사람들이 모여 음식물을 먹는 꿈은**/동창회 등 많은 사람들이 모이는 모임에 참석하게 된다.

◇ **누군가로부터 음식대접을 받은 꿈은**/고용인이 되어 주인을 모실 일이 생기거나 어떤 일의 책임주로 지목을 받게 된다.

◇ **호도 등을 한입에 깨물어 먹은 꿈은**/어떤 일을 진행하든 큰 성과를 얻게 된다.

◇ **엽차 등의 차종류를 마신 꿈은**/누구에게 부탁을 받거나 반대로 부탁할 일이 생기게 된다.

◇ **남이 따루어주는 술을 받아 단숨에 마셔버린 꿈은**/교활한 계교에 빠지거나 누가 명령한 일에 복종한 후 정신적으로 시달리게 된다.

◇ **썩어서 심한 냄새가 나는 음식물을 먹은 꿈은**/어떤 일을 하든 결과는 헛수고가 되어 심한 불쾌감을 경험하게 된다.

◇ **어린아이들이 좋아하는 사탕 종류를 먹은 꿈은**/평소에 하고 싶었던 일을 하게 되거나 작은 소원이 이루어지게 된다.

◇ **정부 고관이나 그의 비서들에게 술대접을 한 꿈은**/유명인사나

어떤 회사의 간부사원에게 취직 청탁을 할 기회가 주어진다.

◇ **큰 시루에 가득 담긴 떡을 한꺼번에 남김없이 먹어버렸는데 그것이 태몽인 꿈은**/태어나는 아이가 성장하면 모든 면에서 부족한 것이 없으며 세상에 이름을 떨치게 된다.

◇ **우유를 벌컥벌컥 마신 꿈은**/책임을 맡을 일이 생기고 남과 상의해서 일을 추진하면 결과가 좋게 나타난다.

◇ **밥상을 받았는데 밥은 없고 반찬만 즐비한 꿈은**/무슨 일을 하든 중심에 들지 못하고 수박 겉핥기 식으로 사소한 곳에만 정신을 집중하게 된다.

◇ **고기국에 건더기는 한 점도 없고 국물만 있는데 그것을 먹은 꿈은**/정열적으로 일을 해놓고도 거기에 대한 댓가를 충분히 보상받지 못하게 된다.

◇ **국수와 같이 가닥으로 되어 있는 밀가루 음식을 먹은 꿈은**/심한 파벌체제로 운영되어 오던 어떤 단체가 결합을 하는데 크게 기여하거나 가벼운 감기증세로 앓게 된다.

◇ **냉면을 맛있게 먹은 꿈은**/걱정을 해도 뾰족한 수가 생기지 않아서 방치해 두었던 문제가 시원스럽게 해결된다.

◇ **유난스럽게 매끄러운 미역국을 먹은 꿈은**/입시, 취직시험 등에 낙방하며 무슨 일을 하든 계획에 차질이 생기게 된다.

◇ **음식의 종류도 모르면서 닥치는대로 먹어치웠는데 그것이 태몽인 꿈은**/무슨 일을 맡겨도 시원스럽게 해결해 내는 능력을 가진 아이가 태어나게 된다.

◇ **남에게 음식을 대접한 꿈은**/남에게 부탁하거나 지시할 일이 생기며 자신의 뜻대로 일해 줄 사람을 얻게 된다.

◇ **누군가와 겸상을 해서 음식물을 먹은 꿈은**/혼담이나 계약 등이

시원스럽게 이루어지고 여러 사람이 모여 무슨 일을 의논해도 의견이 일치된다.

◇ **세계 여러나라의 각료들이 모인 만찬회석상에 자신이 참석하여 함께 음식을 먹은 꿈은**/저명인사나 문학단체에서 행하는 파티나 세미나 등에 초대받을 일이 생긴다.

◇ **부엌에서 음식을 열심히 만든 꿈은**/하고 있는 일을 재점검하거나 무언가를 만들 일이 생긴다.

◇ **애인과 함께 중국집에서 음식을 먹은 꿈은**/혼담에 좋지 않은 문제가 생기거나 사업상의 일에도 의견이 서로 엇갈려 불이익을 당하게 된다.

◇ **음식물을 전혀 씹지 않고 삼킨 꿈은**/일거리가 쇄도하게 되며 많은 재물이 생겨 저축을 하게 된다.

◇ **야외에서 식사를 한 꿈은**/외교적인 일을 하거나 외근을 해야 하는 부서로 발령을 받게 된다.

◇ **진수성찬으로 차려진 음식상을 대한 꿈은**/자신이 제시한 의견이나 아이디어 등이 좋은 평판을 받게 된다.

◇ **음식상 옆에 파란 똥이 있었던 꿈은**/빚보증을 섰던 일에 사고가 생겨 빚을 걸머지게 되거나 심하게 창피당할 일이 생긴다.

◇ **어떤 집에 가서 밥을 먹는데 주인은 쌀밥이고 자신은 잡곡밥이었던 꿈은**/어떤 사람과 똑같은 일을 했는데도 상대방은 후한 대접을 받는데 자신은 그 반대가 되는 일을 경험하게 된다.

◇ **찌개가 남비 속에서 요란하게 끓는 꿈은**/사랑하고 싶은 이성을 만나게 되나 상대방이 냉담한 반응을 보여 짝사랑으로 끝나게 된다.

◇ **여러 사람이 모여서 음식을 먹는데 자기의 그릇이 유난히 고급스러운 꿈은**/진급을 하게되고 남보다 뛰어난 사람으로 평가를 받게

된다.

◇ **잔치집에서 음식을 맛있게 먹은 꿈은** / 자신이 한 일에 만족을 느끼게 되고 상부나 정부당국에 부탁한 일이 잘 처리된다.

◇ **어두운 곳에서 식사를 한 꿈은** / 혼자서만 알고 있어야 할 비밀이 생기게 되고 자신이 없는 일을 책임지게 된다.

2) 부식과 음식 재료

◇ **음식을 만드는데 설탕을 사용한 꿈은** / 작품을 만들거나 일을 해도 좋은 기분으로 하며 그 일의 결과에 많은 사람들이 감탄을 하게 된다.

◇ **집안 구석구석에서 식초냄새가 진동한 꿈은** / 자기와 관련된 소문이 떠돌아다니게 되며 그 일로 인하여 많은 생각을 하게 된다.

◇ **우유가 들어있는 깡통이 공중에 둥둥 떠다니는 걸 본 꿈은** / 자신의 실력을 세상에 널리 알릴 기회가 찾아온다.

◇ **미원이나 기타의 화학조미료를 사용해서 음식을 만든 꿈은** / 무슨 일을 하든 기분 좋게 처리가 되며 그로 말미암아 자신의 능력을 인정받게 된다.

◇ **소금이 넓은 들판에 산더미처럼 쌓여 있는 꿈은** / 감히 상상할 수 없었던 큰 사업을 벌이게 되며 자금 사정이 원활치 않아 부채를 짊어지게 된다.

◇ **여러 가지의 과자류가 그릇에 넘치도록 들어 있는 꿈은** / 누가 보아도 고급스럽다고 할 만한 일거리를 맡게 되거나 진행중인 혼담이 성사된다.

◇ **반찬거리가 부엌에 가득 쌓여 있는 꿈은** / 사업을 계획해 놓고도

자금이 없어 실행에 옮기지 못했으나 사업자금이 해결되게 된다.

◇ **산더미처럼 많은 파나 마늘을 소유한 꿈은** / 사업자금이 충분하게 마련되며 세상이 깜짝 놀랄 일을 저지르게 된다.

◇ **정육점에서 고기를 사온 꿈은** / 많은 액수의 금전거래를 계획했었으나 예상이 빗나가 적은 액수의 거래밖에 이루어지지 않는다.

◇ **파나 마늘 등을 샀는데 그것이 태몽인 꿈은** / 태어난 아이가 성장하면 성직자나 교육자 등 정신적인 지도자가 된다.

◇ **된장이나 고추장 항아리에 구더기가 득실거린 걸 본 꿈은** / 사업자금으로 마련했던 돈으로 예상 밖의 일에 투자하게 된다.

◇ **애인과 함께 빙과류를 사먹은 꿈은** / 미진하던 혼담이 급작스럽게 성사되고 상대방에 대해 갖고 있던 나쁜 감정이 해소된다.

◇ **어떤 형태로든 소금과 연관된 꿈은** / 예기치 않았던 걱정거리가 생긴다.

◇ **음식을 먹는데 그 맛이 너무 신 꿈은** / 자신있게 처리했던 일의 일부분이 잘못되어 노출되게 된다.

◇ **고추를 원료로 해서 만든 음식을 먹은 꿈은** / 활동적이고 추진력이 요망되는 직업을 얻게 된다.

제 9 장
죽음과 관련이 있는 꿈

1) 사 망

◇ **부고를 받은 꿈은** / 서류상으로 어떤 통지나 편지를 받게 된다.

◇ **확실하지는 않지만 누군가가 죽었다는 생각이 든 꿈은** / 자신과 연결돼 있는 어떤 일이 이루어지게 된다.

◇ **막연하게 누가 죽게 될 것이라는 생각을 가졌던 꿈은** / 전혀 기대하지 않았던 일이 이루어지고 미궁에 빠졌던 일의 실마리가 풀리게 된다.

◇ **병원에서 수술을 받다가 죽은 꿈은** / 어떤 물건, 부동산 등의 매매가 이루어지고 축하할 만한 소식을 전해듣게 된다.

◇ **부모상을 당하고 대성통곡을 한 꿈은** / 정신적인 안정과 물질적인 부를 누리게 되고 계획했던 일을 착수하게 된다.

◇ **자신이 아무런 고통도 느끼지 않고 안락사 한 꿈은** / 심사기관에 제출한 서류나 출품한 작품 등이 좋은 결과를 얻게 된다.

◇ **죽은 사람의 소지품이나 유서 등 그와 관련된 물건이 자기에게 배달된 꿈은** / 자신이 TV, 라디오 등에 출연하게 되거나 매스컴을

타게 된다.

◇ **사람이나 짐승 등 움직이는 생명체가 죽은 꿈은**/자신이 없었던 일, 꺼려했던 일이 잘 해결된다.

◇ **자기가 죽은 사람의 영혼이란 생각이 들었던 꿈은**/물질적인 만족감을 얻지 못하나 정신적으로 큰 만족감을 맛볼 일을 처리하게 된다.

2) 장례 · 제사

◇ **집에 초상이 난 꿈은**/직장이나 자기와 관련된 사업장에서 평소 생각했던 문제가 이루어진다.

◇ **상여 앞에 수없이 많은 만장이 늘어서 있는 것을 본 꿈은**/하는 일마다 실패를 거듭하게 되나 멀지 않은 때에 기관의 협조를 받아 세상사람들이 놀랄만한 일을 성사해 명성을 얻게 된다.

◇ **조상에게 제사를 지낸 꿈은**/권력층 사람이나 자기보다 윗사람에게 부탁할 일이 생기게 된다.

◇ **초상집에 조의금을 낸 꿈은**/자기의 사업과 관계된 기관에 청탁할 일이 생기게 된다.

◇ **혼사가 며칠 앞으로 다가왔는데 상대편 집에 초상이 난 꿈은**/결혼식이 연기되거나 집안의 대사를 연기해야 할 일이 생긴다.

◇ **제사를 지내다가 자기가 퇴주를 한 꿈은**/어느 기관에 부탁한 일이 마무리 되거나 아니면 취소되는 등 확실한 결말을 보게 된다.

◇ **상여가 나가는데 그 뒤를 따르는 조문객이 상상 외로 많은 꿈은**/그 숫자가 많으면 많을수록 꿈 속의 망자를 숭상하거나 생전의 그

의 정신을 기리는 사람이 많아지게 된다.

◇ **조상의 묘에 성묘를 한 꿈은** / 자기를 도와주려는 사람이나 평소 가깝게 지내던 사람에게 부탁할 일이 생긴다.

◇ **상여가 나가는데 많은 만장이 만국기처럼 펄럭이고 조객이 헤아릴 수 없이 많았는데 그것이 태몽인 꿈은** / 훌륭한 사람이 되어 사회에 이바지 한 일이 많아서 그가 죽은 뒤에도 그 이름이 사람들의 입에 오르내릴 만한 인물이 태어나게 된다.

◇ **제사상에 직접 술을 따루어 올린 꿈은** / 개인의 힘으로는 도저히 해결할 수 없었던 일을 정부의 도움으로 해결하게 된다.

◇ **남의 집에 초상난 것을 본 꿈은** / 꿈 속의 초상집에 애사나 경사가 일어나 많은 사람이 모이게 된다.

◇ **대통령이나 정부고관이 죽어 국장행렬을 구경한 꿈은** / 생애 최고의 명예가 될 일과 부딪히게 된다.

◇ **집에 초상이 나서 울음소리가 천지를 진동할 정도인데 상여를 들여온 꿈은** / 먼곳까지 소문이 날 정도로 사업이 번창하거나 좋은 일이 생기게 된다.

3) 송 장

◇ **심하게 썩는 송장냄새를 맡은 꿈은** / 사람들의 입에 오르내릴 만큼 많은 재물을 얻게 된다.

◇ **싸늘하게 식은 시체를 밖으로 내다 버린 꿈은** / 힘들게 얻은 재물을 잃어버리게 되거나 명예가 땅에 떨어질 일이 생긴다.

◇ **썩은 송장물이 시냇물처럼 흘러가는 꿈은** / 사업이 번창해지고 자

신이 한 말에 많은 사람들이 감명을 받게 된다.

◇ **죽은 사람의 몸에서 소지품을 꺼내 자기가 가진 꿈은** / 어떤 일을 하든 충분한 댓가를 받게 되며 하는 일마다 번창한다.

◇ **시체가 정확한 발음으로 말을 한 꿈은** / 현상공모에 응모한 작품이 입상했다는 소식을 듣게 된다.

◇ **시체가 들어있지 않은 빈 관을 들고 있었던 꿈은** / 부부간에 이혼을 전제로 한 상의를 하거나 누구에겐가 사기를 당해 큰 손해를 입게 된다.

◇ **시체를 공동묘지에 묻은 꿈은** / 사회사업에 참여하라는 부탁을 받고 얼마간의 돈을 기부할 일이 생긴다.

◇ **직계가족이나 가까운 친척이 사망하자 몹시 슬프게 울었던 꿈은** / 온 심혈을 기울여 완성해 놓은 일을 되새기거나 작품을 감상하며 흐뭇해 할 일이 생긴다.

◇ **시체를 운반하는 사람들을 본 꿈은** / 자기에게 돌아가리라고 예상했던 일거리를 다른 사람이 가로채 가거나 일은 자기가 하고 칭찬은 다른 사람이 받는 일 등, 그와 흡사한 일을 당하게 된다.

◇ **시체에 하얀 구더기가 우글거리는 꿈은** / 벌여놓고 있는 사업이 성공을 거두어 많은 돈을 벌게 된다.

◇ **사람들의 왕래가 많은 큰 길에 시체를 내놓은 꿈은** / 남의 공을 자기 것인양 즐거운 마음으로 떠들어댈 일이 생긴다.

◇ **한사람이 죽기도 하고 살아 있기도 하여 쌍동이처럼 나란히 있는 꿈은** / 동업을 했다 헤어졌던 사람이 나타나 심적부담을 주게 된다.

◇ **죽은 윗사람의 시체 앞에서 예를 갖추어 다소곳이 서 있는 꿈은** / 조상으로부터 유산을 상속받거나 승진을 하게 된다.

◇ **시체가 물에 불어 몹시 커져서 자꾸만 뒤를 쫓아온 꿈은** / 하는

사업이 도산을 해 많은 빚을 짊어지게 되고 채권자들을 피해다니게 된다.

◇ **가족이 죽었는데도 기분이 전혀 동요되지 않은 꿈은**/획기적인 일이 일어났는데도 당연한 것처럼 행세해서 남들로부터 손가락질을 받게 된다.

◇ **죽은 사람이 다시 살아난 꿈은**/성공 직전까지 간 일이 한순간에 수포로 돌아가고 발전하던 사업도 원점으로 돌아오게 된다.

◇ **슬피 울면서 시체에 절을 한 꿈은**/유산을 상속받을 일이 생긴다.

◇ **시체가 담긴 관이 포장도 되지 않은 채 마당에 놓여 있는 꿈은**/사업을 하던 도중에 어떤 일이 잘 풀려서 목돈이 들어오게 된다.

◇ **시체를 화장하는 그 불길이 유난히 거센 꿈은**/사업이 나날이 발전하게 되고 하는 일마다 성공을 거두게 된다.

◇ **시체를 매장한 꿈은**/은행에 저축할 일이 생기거나 기관에 신변보호를 부탁할 일이 생긴다.

◇ **뚜껑이 열린 관 속에 시체가 들어있는 꿈은**/어떤 일을 했을 때 좋은 성과를 얻거나 값비싼 물건을 관리할 일이 생긴다.

◇ **시체에서 피가 나와 목욕탕의 욕조에 가득 고인 꿈은**/자기가 발표한 의견이나 작품이 사람들에게 감명을 주거나 자신으로 인하여 획기적인 일이 일어나게 된다.

◇ **시체가 관 속에 들어 있는데 뼈만 남아 있었던 꿈은**/자기 작품의 내용이나 자신의 프로필 등이 매스컴에 오르내리게 된다.

◇ **시체 때문에 도망쳤던 꿈은**/재물이 생길 기회가 있으나 성사되지 않으며 무슨 일을 하든 좋은 결과가 나타나지 않는다.

4) 무덤 · 공동묘지

◇ **무덤에 밝은 햇살이 비친 꿈은**/ 사업을 시작하게 되거나 혼담이 성사되고 직장인은 진급을 하게 된다.

◇ **무덤에서 사람의 손이 나와 손짓을 한 꿈은**/ 빚쟁이에게 빚 독촉을 받아 심하게 시달리게 된다.

◇ **시체를 공동묘지에 매장한 꿈은**/ 사회사업에 적극적으로 참여할 일이 생긴다.

◇ **무덤이 반쪽으로 갈라진 꿈은**/ 시험에 합격하거나 취직을 하게 되며 잘 풀리지 않던 일이 속시원히 풀어지게 된다.

◇ **시체를 대충대충 매장하는 꿈은**/ 자기와 관련된 모든 일을 남에게 밝히기를 꺼려하며 혼자만의 비밀로 해둘 일이 생긴다.

◇ **바로 윗대(아버지 계열)의 무덤이 즐비하게 늘어서 있는 것을 본 꿈은**/ 거래회사에 근무하는 직원에게서 많은 협조를 받게 된다.

◇ **오래 된 무덤 옆에 집을 짓거나 선조의 묘자리를 잡은 꿈은**/ 회사에서 전근발령을 받게 되거나 오래 된 고옥으로 이사를 하게 된다.

◇ **무덤 앞에 서있는 망주석을 본 꿈은**/ 사업상 직접 거래를 하지 못하고 중개인을 내세워야 할 일이 생기게 된다.

◇ **관을 넣고 무덤을 만드는 광경을 본 꿈은**/ 중요한 물건을 보관할 금고 등을 사들이거나 자기 혼자만의 비밀로 간직해야 할 일이 생기게 된다.

◇ **유난히 봉긋한 묘를 본 꿈은**/ 사회적인 유명인사나 손꼽히는 사업가와 인적관계를 상호간 맺게 되고 따라서 자신의 위치도 올라가게 된다.

◇ **묘자리를 선정한 꿈은**/ 생활에 안정이 되는 일을 찾게되고 많은

재물을 얻을 수 있는 일거리를 맡게 된다.

◇ 비석에 새겨져 있는 비문을 자세히 들여다보고 읽은 꿈은 / 외국 서적을 번역할 일거리를 얻거나 회고록 등의 원고 청탁을 받게 된다.

◇ 무덤 속에서 밝은 빛이 새어나온 꿈은 / 금은보화가 생기거나 자신의 명예와 관계되는 일을 성취하게 된다.

◇ 무덤의 둘레가 유난히 길다고 생각됐던 꿈은 / 뒷배경이 든든한 사람을 만나 사업상의 일을 의논하게 된다.

◇ 무덤 옆에 아담한 정자가 있는 것을 봤는데 그것이 태몽인 꿈은 / 명성을 온 세상에 퍼뜨린 유명인이 태어나게 된다.

◇ 무덤에 불이 활활 타는 것을 본 꿈은 / 사업이나 교제 관계가 불길처럼 번창한다.

◇ 무덤의 한 곳에서 빨간 피가 철철 흐르는 것을 본 꿈은 / 은행의 융자들을 통해서 금전적인 도움을 받거나 종교적으로 정신적인 안정감을 얻게 된다.

◇ 무덤에 붙은 불이 꺼지지 않고 자꾸 번지기만 한 꿈은 / 자기가 행한 일들이 어떤 수단이 됐든 소문이 나게 되며 그 소문으로 말미암아 많은 협조자가 줄을 잇게 된다.

◇ 공동묘지가 있던 자리에 집을 지은 꿈은 / 구세대의 아성이 무너지고 젊은 세대의 힘이 어떤 단체를 장악하게 되거나 새로운 일거리가 생겨 옛 일을 소홀해지게 된다.

제10장
산야 · 도시 · 지도에 관한 꿈

1) 들 판

◇ **땅속에서 동물이나 불길이 나온 꿈은** / 여러 방면으로 자기의 발전을 위해서 연구를 한다.

◇ **넓은 벌판에서 일하는 꿈은** / 어떤 기업체에서 새로운 사업을 진행 시킨다.

◇ **지진이 일어나거나 지축이 흔들린 꿈은** / 사회적으로 파업이 일어나거나 어떤 기관에서 사소한 일로 소송 사건이 일어난다.

◇ **고향에서 객지로 나온 꿈은** / 어떤 사업을 계획성 있게 적극적으로 밀고 나간다.

◇ **땅이 갈라져 한없이 깊은 곳까지 내려다 본 꿈은** / 학문 연구를 깊이있게 공부한다.

◇ **한번 왔던 곳이라고 생각된 장소의 꿈은** / 자기가 기억하고 있는 장소나 유명한 곳을 가보게 된다.

◇ **지평선 위에서 검은 연기나 검은 구름이 피어오른 꿈은** / 훗날의 불길한 소식을 전해 듣게 된다.

◇ 연장을 땅에 박아 지편이 갈라진 꿈은 / 자기의 주장을 내세워 기성 관념을 타파할 수 있다.

2) 다리 · 길

◇ 암흑 속에서 길을 찾아 헤매는 꿈은 / 하고 있는 모든 일이 암담하게 느껴지고 미개척 분야에 종사하게 된다.

◇ 기차 철교를 걸어서 건너는 꿈은 / 자기 분수에 맞지 않는 일을 시작하여 항상 불안해 하고 초조하다.

◇ 길이 질어 빠지고 걷기가 힘든 꿈은 / 질병에 걸려 신음하거나 생활에 불편을 느끼게 된다.

◇ 길을 포장하고 있는 것을 본 꿈은 / 사업 기반을 닦거나 일을 착수하게 된다.

◇ 거리에서 물건을 주운 꿈은 / 일을 하는 도중에 방해물이 생겨 여러번 고비를 겪게 된다.

◇ 비바람이 심하게 불어 다리를 건너지 못한 꿈은 / 고위층의 압력으로 자기 뜻대로 일을 진행시키지 못한다.

◇ 바위가 널린 곳을 껑충껑충 건너 뛰어간 꿈은 / 여러 방면으로 일을 진전시킨다.

◇ 다리 위에서 사람을 기다린 꿈은 / 어떤 기관에 부탁한 일이 풀리지 않아 고민하게 된다.

◇ 어스름 달밤이나 저녁 무렵에 길을 걷는 꿈은 / 생소한 일을 접하게 되거나 처음 만나는 사람과 대화를 나누게 된다.

◇ 다리 위에서 아래를 내려다 본 꿈은 / 웃사람이 아랫사람에게 충

고를 하거나 지시를 한다.

◇ **교량을 폭발물 또는 기타 힘의 작용에 의해 절단되거나 파괴된 꿈은**/장해물이 없어지고 자기 소원을 성취하게 된다.

◇ **눈앞의 길이 움직이듯 꾸불꾸불 뻗어 나가거나 깃발이 나부끼듯 휘날린 꿈은**/자기의 정당성을 남 앞에 주장하지만 뜻대로 이루어지지 않는다.

◇ **가던 길을 도중에 멈춘 꿈은**/자기가 소원한 일이나 계획한 것이 중도에 포기하게 된다.

◇ **강을 건너지 못하고 있는데 사람들이 뗏목을 놓아준 꿈은**/하고 있는 일이 난관에 처해있을 때 여러 곳에서 도움을 준다.

◇ **호수를 중심으로 여러 방면으로 길이 뻗어 있는 것을 본 꿈은**/많은 지식을 갖고 있는 사람과 서로 이야기를 주고 받는다.

◇ **교량 위를 우마차가 지나간 꿈은**/여러 협조 기관을 통해서 일을 추진시킨다.

◇ **집 마당에서부터 큰 도로가 나 있는 꿈은**/여러 방면으로 모든 일이 순리대로 풀린다.

◇ **다리가 끊어지거나 부숴진 꿈은**/자기가 소원했던 일이 뜻대로 이루어지지 않는다.

◇ **다리 위를 많은 사람이 지나가는 것을 본 꿈은**/어떤 기관을 통해서 부탁한 일이 이루어지지 않는다.

3) 산

◇ **깊은 산중에서 신령적인 존재가 내려온 꿈은**/어떤 기관의 우두

머리나 협조자를 만나게 된다.

◎ **날아서 산 정상에 오른 꿈은**/가장 빠른 방법으로 목적을 달성하게 된다.

◎ **산 정상에서 큰소리로 외친 꿈은**/세인의 관심을 한몸에 받거나 자기 신변에 관한 일을 타인에 의해서 듣게 된다.

◎ **적진의 산정을 점령한 꿈은**/어떤 현상 모집에서 입선을 하거나 단체 경기에서 우승을 하게 된다.

◎ **산속에서 신을 잃어버린 꿈은**/자기 작품이나 일거리가 어떤 단체에 의해서 보류된채 발표되지 않는다.

◎ **지팡이를 짚고 오른 꿈은**/어떤 협조자나 유리한 방도에 의해서 일을 진행시켜 나간다.

◎ **산을 짊어지거나 산을 떠밀고 들어 올린 꿈은**/강대한 세력이나 단체를 자기 마음대로 움직일 수 있는 실력자가 된다.

◎ **높은 산정에서 사방을 굽어 살펴본 꿈은**/사회적으로 큰 업적을 이루거나 신분이 고귀해진다.

◎ **산맥의 모형도를 그린 꿈은**/사회적으로 자기의 실력이나 작품을 인정받아 세인의 관심을 갖게 된다.

◎ **바라보고 있는 산이 짐승이나 사람으로 변한 꿈은**/정치가, 사업가로서 큰 세력을 얻게 된다.

◎ **산정 또는 언덕위에 사람이 많이 모여있는 꿈은**/자기와 뜻을 같이 한 사람을 만나게 된다.

◎ **산에서 지도를 그린 꿈은**/웃사람에게 청원할 일, 교회에서 신앙할 일이 생기게 된다.

◎ **정상까지 오르는데 멀다고 느껴진 꿈은**/목적한 일이 자기 뜻대

로 쉽게 이루어지지 않는다.

4) 도시 · 촌락 · 기타

◇ **초가집이 불타는 것을 멀리서 발견한 꿈은**/자기가 하고 있는 일이 점차적으로 번창하기 시작한다.

◇ **진열장에 진열된 어떤 물건에 큰 관심을 가진 꿈은**/어떤 사람에 관해서 알고 싶어하거나 남에게 청탁할 일이 생긴다.

◇ **산꼭대기에서 오줌을 누어 일국의 수도를 잠기게 한 꿈은**/국가나 사회적으로 권력을 행사해서 어떤 이념이나 사상 전파를 한다.

◇ **산골에 초가집이 나란히 있는 것을 본 꿈은**/자서전을 쓰거나 역사책을 감명깊게 읽게 된다.

◇ **문화 주택이 꽉차 있는 거리를 자신있게 활보한 꿈은**/문학 소설을 쓰거나 문화 공보 활동에 종사한다.

◇ **외갓집 동리에서 하룻밤을 잔 샐러리맨의 꿈은**/외근 관계 부처에서 근무하게 된다.

◇ **문화주택 가운데 초가집이 한채 있는 꿈은**/고고학적 연구 성과를 나타낸다.

◇ **많은 상품이 진열된 상가를 들여다보면서 지나가는 꿈은**/남의 신상 문제를 알아보거나 대화 내용이 진지함을 알 수 있다.

◇ **지도상의 한 지점을 지적하고 설명한 꿈은**/어떤 기관에서 전근, 진급하게 되고 거래처나 계약 상대를 확보한다.

제11장
질병에 관한 꿈

1) 질 병

◇ **음식을 먹었는데 체해서 배가 아픈 꿈은**/어떤 책임있는 일을 맡았으나 그 일이 벅차게 느껴진다.

◇ **사육한 짐승이 아픈 꿈은**/작품이 잘못되었거나 일거리를 처리하지 못하고 오랫동안 붙들고 있게 된다.

◇ **콧물이 자꾸 나온 꿈은**/자기 주장을 남에게 강력히 내세운다.

◇ **가슴에 병이 든 꿈은**/어떤 일에 대해서 사전 검토를 하고 마음에 상처를 받게 되는 일이 있다.

◇ **전신에 열이 불덩이같이 뜨거운 꿈은**/학문적인 연구에 몰두하거나 신앙생활을 충실하게 한다.

◇ **콩팥에 병이 들었으니 어떻게 하면 되느냐고 문의한 꿈은**/어떤 일을 시작하는데 그 일에 대해서 상의해 올 사람이 있다.

◇ **집에 문둥병 환자가 찾아온 꿈은**/선전하거나 전도하는 사람이 자기를 찾아온다.

◇ **산모가 출산을 하려고 진통을 겪는 꿈은**/새로 시작한 일이 여러

가지로 많은 어려움을 겪는다.

◇ **환자가 건강을 회복한 꿈은** / 자기가 소원한 일이나 계획한 일 등이 뜻대로 추진해 나간다.

2) 약

◇ **폭약이라고 여겨지는 약을 받아 먹은 꿈은** / 자기의 실력을 충분히 발휘를 할 수 있는 직장을 얻게 된다.

◇ **약병이 사방에 흩어져 있는 꿈은** / 학문적 자료를 구하거나 생계비 유지를 위해서 애쓴다.

◇ **의사가 약을 처방해서 준 꿈은** / 어떤 기관에서 임무를 부여받거나 업무 처리에 시정을 요하는 지시를 받는다.

◇ **약을 약국에서 구해온 꿈은** / 생계비 유지할 일이 생기거나 어떤 약속이 이루어진다.

◇ **약을 먹고 전염병이 나은 꿈은** / 어떤 단체에서 이탈하게 되고 사업의 재정비를 하게 된다.

◇ **상자속에 가득한 약병을 얻은 꿈은** / 음식을 배가 부르게 실컷 먹을 일이 있다.

◇ **신령적인 존재가 약을 주거나 치료법을 알려준 꿈은** / 몸이 건강하지 못한 사람은 점점 차도를 보이기 시작한다.

◇ **정신 분석학적 치료나 심리 요법을 행한 꿈은** / 자기의 복잡한 심정을 남에게 털어 놓고 이야기를 한다.

◇ **임금님이 내리는 사약을 받아 먹은 자신이 죽은 꿈은** / 사회적으로 자신의 성실함을 인정 받는다.

3) 의 술

◇ **수술도중에 몸이 뻐근한 느낌을 받은 꿈은**/상대방이 자기에게 깊은 관심을 보이고 도움을 준다.

◇ **병원에 입원해야 하는 진찰카드를 받은 꿈은**/그 기간동안에 어떤 단체에서 일을 하거나 일거리를 보관하게 된다.

◇ **진찰실에 누워있는 꿈은**/웃어른이 명령하는대로 복종하게 된다.

◇ **머리를 수술 받은 꿈은**/남에게 자신을 평가받거나, 자기 사상을 심중하게 털어 놓는다.

◇ **자기 병세를 의사에게 자세히 설명한 꿈은**/자기 일에 관하여 남에게 여러 모로 이야기를 한다.

제12장
배설물과 분비물에 관한 꿈

1) 대 변

◇ **인분의 냄새를 맡은 꿈은** / 자기의 일이 성사되어 널리 보급되고 남이 하는 행동이 역겹게 느껴진다.

◇ **산더미 같은 인분을 그릇에 담는 꿈은** / 남에게 창피를 당하고 체면이 크게 손상된다.

◇ **수북이 쌓인 인분을 손으로 주무른 꿈은** / 막대한 재물을 자신이 마음대로 움직인다.

◇ **화장실에서 대변을 쳐가는 꿈은** / 마음의 근심 걱정이 해소되고 때로는 재물에 손실을 가져온다.

◇ **인분을 걸어 놓은 꿈은** / 자기의 일을 남에게 과시하거나 소청할 일이 생긴다.

◇ **자기가 배설한 인분이 수북이 쌓여 있는 꿈은** / 여러 방면으로 사업이 점차적으로 번창하기 시작한다.

◇ **전신이 인분이나 소변통에 빠진 꿈은** / 악취를 느끼지 않으며 큰 횡재수가 생긴다.

◇ **화장실을 찾아다녀도 마땅한 곳이 없어 들어가지 못한 꿈은**/자기가 소원하고 있던 일이 뜻대로 이루어지지 않는다.

◇ **색깔이 탁하고 묽으며 극히 소량의 인분을 손으로 만진 꿈은**/마음이 불쾌해지고 매사에 불만을 느끼게 된다.

◇ **집안에 쌓여있는 인분을 삽으로 뒤적인 꿈은**/여러 방면으로 상당한 자본을 취급하게 된다.

◇ **신체 일부분에 자기가 배설한 인분이나 남의 것이 묻은 꿈은**/남에게 진 빚으로 고통을 받거나 창피를 당한다.

◇ **수북이 쌓인 인분을 삽으로 옮긴 꿈은**/사업 자금을 남에게 의지하거나 작품 원고를 다시 쓸 일이 생긴다.

◇ **배설하려고 화장실에 갔는데 변비로 인해 배설이 잘 되지 않거나 남의 대변이 여기저기에 널려 있어 발 디딜 틈이 없어 한참을 망설이고 있는 꿈은**/자기가 소원하고 있는 일들이 뜻대로 이루어지지 않는다.

2) 소 변

◇ **소변을 보기 위해 화장실에 들어가는데 잠이 깬 꿈은**/어떤 일에 관여하는데 자기가 바라고 있는 일은 이루어지지 않는다.

◇ **소변이 옷에 묻은 꿈은**/어떤 상호간에 계약을 맺거나 사소한 감정으로 불쾌한 마음을 갖는다.

◇ **자기가 소변을 누니까 갑자기 온통 오줌 바다가 된 꿈은**/자기의 작은 힘의 도움으로 큰 세력을 움직이게 만든다.

◇ **남이 보고 있어 소변을 누지 못하거나 잘 나오지 않은 꿈은**/어

떤 일을 하든지 자기의 소원이 충족되지 않는다.

◇ **음식점 화장실에 들어간 꿈은**/유흥업소에서 일을 하거나 사람을 찾을 일이 있게 된다.

◇ **여러 군데를 두리번거리다가 화장실을 찾은 꿈은**/여러 기관을 물색한 다음 한 곳에서 자기의 소원을 충족시킨다.

◇ **자기의 소변이 큰 강을 이루거나 한 마을을 덮은 꿈은**/자기에게 큰 권세가 주어지거나 자기 사상을 남에게 강력히 주장한다.

◇ **소변이 그득한 구덩이나 비료통에 소변을 본 꿈은**/어떤 잡지사에 문필가는 작품을 투고하고 사업가는 일의 성과를 올린다.

◇ **소변을 자기집 화장실에서 본 꿈은**/자기 집안 일이나 직장 일과 관련이 있다.

◇ **세면장, 물이 흐르는 개천에서 소변을 본 꿈은**/어떤 언론·출판사에서 자기와 관련있는 기사거리를 읽게 된다.

◇ **남이 소변을 보는 것을 본 꿈은**/남이 어떤 소원을 충족시킴을 보거나 남의 작품이 지상에 발표된 것을 본다.

3) 피

◇ **자기 몸에서 피가 난 것을 본 꿈은**/여러 방면으로 자기에서 손실이 있게 된다.

◇ **사람을 칼로 찔렀는데 피가 나지 않는 꿈은**/자기의 일이 성사되지만 웬지 모르게 불안하다.

◇ **남의 몸에서 피흘리는 것을 보고 도망친 꿈은**/어떤 재물을 얻을 기회를 놓치거나 일이 미수에 그친다.

◇ 상대방 옷에 더러운 피가 온통 묻어 있는 것을 본 꿈은/상대방이 횡사한 것을 보거나 듣게 된다.

◇ 몸에 묻은 피를 닦아내거나 옷을 세탁한 꿈은/재물의 손실을 가져오거나 계약이 취소된다.

◇ 코피가 터져서 온통 얼굴에 묻은 꿈은/여러 방면으로 자기의 재물을 남에게 알려주거나 손실을 가져온다.

◇ 신령적인 존재의 손가락 피를 마신 꿈은/위대한 학자나 진리 탐구자가 펴는 참된 교리나 지식을 얻게 된다.

◇ 뱃속에 피가 고여 불룩해진 꿈은/많은 재물을 모으게 된다.

◇ 남이 코피난 것을 본 꿈은/상대방에게 많은 재물을 얻거나 정신적으로 도움을 받는다.

◇ 사람이 죽어 피가 낭자한 것을 본 꿈은/사회적으로나 집안 일로 얻어진 막대한 재물을 취급하게 된다.

◇ 자기가 찌른 사람의 몸에서 피가 나고 그 피가 자기 몸에 묻은 꿈은/상대방에게 돈을 요구할 일이 있거나 남의 사업을 거들어 재물이 생긴다.

◇ 상대방 몸에서 피가 나는 것을 본 꿈은/ 여러 방면으로 남에게 피해를 입게 된다.

◇ 호수가나 강이 핏빛으로 물든 꿈은/진리, 사상 등으로 많은 사람들을 지도하여 감동을 받게 한다.

◇ 항문에서 피가 흐른 꿈은/사업상 생산품의 매도나 거래상 손실을 입게 된다.

◇동물의 목을 잘랐는데 피가 솟은 꿈은/자기가 소원했던 일이 성취되어 재물이 생기거나 많은 사람들에게 감동을 준다.

◇ 시체에서 피가 냇물처럼 흐르는 꿈은/진리가 담겨있는 책을 읽

고 감동하게 된다.

◇ **남이 피흘리는 것을 보고 만족하거나 무관심한 표정의 꿈은**／자기의 일이 성사되거나 재물이 만족스럽게 생긴다.

4) 가래 · 눈물 · 정액 · 기타

◇ **가래에 피가 섞여 나온 꿈은**／근심 걱정이 해소되거나 재물의 손실이 있게 된다.

◇ **상대방이 눈물을 흘리는 것을 본 꿈은**／상대방으로 하여금 불만을 갖게 되고 불쾌한 감정이 생긴다.

◇ **정액이 옷에 묻어 마음이 불쾌해진 꿈은**／자기가 소원한 일이 성사되더라도 마음 한 구석에는 불쾌한 감정을 갖게 된다.

◇ **땀을 많이 흘리는 꿈은**／매사에 의욕을 잃거나 기력이 쇠퇴하여 근심 걱정이 생긴다.

◇ **분비된 정액을 처리하기 곤란하거나 불쾌한 기분이 된 꿈은**／여러 방면으로 손실을 가져오게 된다.

◇ **상대방 얼굴에 침을 뱉는 꿈은**／상대방에게 사소한 일로 마음에 상처를 입힌다.

◇ **경도가 걸레에 묻은 것을 본 꿈은**／제3자와 계약한 일이 뜻대로 이루어진다.

◇ **가래를 시원스럽게 뱉은 꿈은**／오랜 소원이 순리대로 풀린다.

◇ **땀을 수건으로 닦아낸 꿈은**／마음이 편안한 상태이고 기력이 회복된다.

◇ **정액이 많이 나와 쌓인 꿈은**／여러 방면으로 재물이 많이 생긴다.

◇ **입안에 침이 마른 꿈은** / 여러 방면으로 자본이 부족하여 고통을 받게 된다.

◇ **하염없이 눈물을 흘리고 울고 있는 꿈은** / 남에게 자신을 과시하거나 경사스러운 일이 있게 된다.

제13장 시간·방향·색채에 관한 꿈

1) 시 간

◎ 멀리서 기다리는 사람이 오는 걸 본 꿈은 / 어떤 일을 시작하는데 상당한 시일이 걸린다.

◎ 완연한 봄이라고 느낀 꿈은 / 어떤 일의 시작, 애정의 표현, 평화의 상징 등을 나타낸다.

◎ 한밤중에 등불을 켠 채 가라고 한 꿈은 / 미개척 분야에 희망을 주거나 진리를 펴라고 알려 준다.

◎ 그 해에 성사되지 않는 일의 꿈은 / 어떤 일의 전망과 성사 여부가 쉽게 결정나지 않는다.

◎ 도둑이 이웃집으로 들어간 것을 본 꿈은 / 도둑을 잡거나 신문기사를 읽게 된다.

◎ 무엇에 물건이 가리워졌다가 다시 나타난 꿈은 / 형태는 같아도 서로 성격이 다른 일에 관련된다.

◎ 늘어진 줄을 감지못한 꿈은 / 상당한 시일의 경과를 나타낸다.

◎ 유리창 너머나 담너머로 일을 본 꿈은 / 먼훗날이나 가까운 장래

의 일을 나타낸다.

◇ **과일이 잘 익은 꿈은** / 하고 있는 일이 어느 단계까지 이르렀음을 뜻한다.

◇ **하던 일을 외면하거나 다른 장면으로 바뀐 꿈은** / 어떤 일이 상당한 시일의 경과를 뜻한다.

2) 방 향

◇ **상대방이 정면으로 걸어온 꿈은** / 상대방과의 의견 대립으로 말다툼이 있으며 일에 대한 방해가 생긴다.

◇ **동녘에서 해가 뜬 꿈은** / 일을 정상적으로 밟아가면서 시작한다.

◇ **서쪽에서 동쪽으로 새가 날으는 꿈은** / 어떤 방향을 나타내는 것이 아니라 일의 시발점을 나타낸다.

◇ **황량한 벌판을 바라보고 있을 때 전방이 북이라고 생각된 꿈은** / 자기가 현재 거처하는 곳이 북쪽과 관련이 있다.

◇ **사거리에서 갈피를 못잡고 망설인 꿈은** / 어떤 일에 대한 갈림길에 서 있음을 뜻한다.

◇ **동쪽에서 사건이 일어난 꿈은** / 현재 거주하는 곳이나 출생지에서 사건이 생긴다.

3) 색 채

◇ **여러가지 색깔이 혼합된 꿈은** / 여러가지 일을 다재다능하게 이끌

어 나간다.

◇ **가장 인상깊게 남을 수 있는 색채의 꿈은**／꽃이나 동물, 황금빛 광선 등을 일반적으로 나타낸다.

◇ **꿈 속에 표현된 물건 색깔의 꿈은**／각별한 상징적 이미지를 나타내기 위해서 표상된 것이다.

제 14 장
사람의 행동에 관한 꿈

1) 성교행위

◇ **성교 도중 사람이 갑자기 나타나 목적을 달성하지 못한 꿈은** / 하는 일마다 방해자가 나타나 괴롭히며 심지어는 계약 상태의 것도 해약이 되는 경우가 있다.

◇ **아무런 감정도 없이 졸고 있는데 성기가 발기한 꿈은** / 일을 해도 결과가 의욕을 뒤따르지 못하며 질병에 걸리기 쉽다.

◇ **성교를 하다가 실제로 사정을 해버린 꿈은** / 과격한 운동을 하다 빈혈증세 등으로 다칠 염려가 있다.

◇ **여러 명의 여자와 차례대로 성교를 한 꿈은** / 전공과 뒤떨어진 일거리가 다 처리하지 못할 만큼 많이 생긴다.

◇ **할머니와 성적 행위를 한 꿈은** / 질질 끌어오던 케케묵은 일거리를 해결하게 된다.

◇ **멀리 떨어져서 살고 있다는 생각이 든 이성과 관계한 꿈은** / 외교적인 일과 관련해서 정도의 차이를 막론하고 자신이 직접 개입하게 된다.

◇ **사람들이 이름만 들어도 알 수 있는 유명, 인기인과 입맞춤을 한**

꿈은/생애 최고의 명예가 될 일에 관계하게 되고 자신이 직접 그러한 상을 수상하게 된다.

◇ **서양인들이 나누는 인사처럼 간단하게 나눈 인사의 꿈은**/어떤 사람에게 맹세할 일이나 굴복할 일이 생긴다.

◇ **지나가는 사람에게 윙크를 했는데 그가 따라온 꿈은**/자신이 어떤 일을 계획하든 반대하는 사람이 없다.

◇ **교미를 하고 있는 동물을 감상한 꿈은**/어떤 사람과 동업할 일이 생기거나 어떤 형태로든 재물이 불어나게 된다.

◇ **옛날에 사랑했던 사람을 다시 만나 성교를 한 꿈은**/언제 해결이 될지도 몰랐던 묵은 일, 또는 포기하고 있었던 일을 다시 시작하게 된다.

◇ **유부녀와 아무런 거리낌 없이 성교를 한 꿈은**/남의 일에 간섭을 해 눈총을 받아도 금전적으로는 큰 이익을 보게 된다.

◇ **성교를 하는데 미수에 그치거나 만족스럽지 못했던 꿈은**/계획하고 있었던 일이 좌절되어 크게 실망하거나 불쾌한 일과 접하게 된다.

◇ **오르가즘의 기분을 강렬하게 느꼈던 꿈은**/물질적으로 큰 손해를 보거나 괴로운 일을 당해 정신적 시달림을 받게 된다.

◇ **친족과 성교를 한 꿈은**/평소에 존경하거나 짝사랑하던 사람과 급속도로 가까워질 기회가 생기게 된다.

◇ **키스와 성교를 같은 차원으로 생각하며 행했던 꿈은**/한꺼번에 두가지의 일을 성취시키며 실업자에겐 여러 곳에서 취직을 알선해 준다.

◇ **부처나 예수 등 신적 존재와 성교한 꿈은**/신앙에 의지할 일이 생기거나 그 방면의 학문에 심취되게 된다.

◇ **사람들이 수치스럽게 생각하는 곳을 본 꿈은**/어떤 일을 하든 미

수에 그치게 되고 그로 인해 불쾌감에서 벗어나지 못한다.

◇ **강간에 성공해서 만족해 한 꿈은** / 자기에게 주어진 일에 대해서는 강압적으로라도 성취시키나 큰 만족감은 맛보지 못해 심적 고통을 받게 된다.

◇ **성교를 했는데 최고의 만족감을 체험했던 꿈은** / 대인관계나 직업, 기타의 자기와 관계된 일에 불만족을 조금도 느끼지 않게 된다.

◇ **동물을 사람으로 여기고 성교를 한 꿈은** / 어떤 일을 하는데 있어서 순리를 벗어나긴 해도 결과는 만족을 얻는다.

◇ **창녀라고 생각되는 여자와 성교를 한 꿈은** / 술을 마시면서 해야 할 상의거리가 생기거나 자신의 하는 일에 여러 사람이 참견을 하게 된다.

◇ **부부간에 성교를 한 꿈은** / 사업상의 계약이 성립되고 집안과 관계된 모든 일이 순풍에 돛단듯이 순조롭다.

◇ **하찮은 곤충이 교미하는 것을 본 꿈은** / 유치한 일이나 아무도 거들떠보지 않는 하찮은 일에 신경 쓸 일이 생긴다.

◇ **사람들이 보는 곳에서 전혀 거리낌없이 성교를 한 꿈은** / 많은 사람들이 관심을 갖고 있는 일에 손을 대 성공을 거두게 된다.

◇ **남이 성교하는 것을 관심있게 바라본 꿈은** / 남이 하는 일에 관여를 해서 창피를 당하게 된다.

2) 덮는 꿈 · 엎는 꿈 · 여는 꿈 · 닫는 꿈

◇ **자신을 검은 천으로 덮거나 가린 꿈은** / 사람이 죽었을 때 천으로 사람을 덮는 것과 같이 여러 가지 좋지 않은 일에 휘말리게 된다.

◇ **얇은 이불로 시체를 덮은 꿈은**/어떤 일이 이루어졌을 때 오래도록 그 기분에 도취되거나 재물을 얻었다면 쉽게 빠져나가지 않는다.

◇ **객지에 나가 있는 식구가 기별도 없이 방문을 열고 빠끔히 들여다본 꿈은**/꿈 속에 보였던 그 사람이 집을 찾아오게 된다.

◇ **열쇠로 굳게 잠긴 자물통을 연 꿈은**/운세가 열려서 재물을 얻거나 진급을 하게 된다.

◇ **누군가가 자기 앞에 엎드린 꿈은**/자기가 시키는대로 순순히 응해줄 사람을 만나게 되거나 누구든지 해낼 수 있는 일거리를 하청받게 된다.

◇ **여러 개의 방문을 열고 자세히 살핀 꿈은**/상급기관이나 정부기관에 청원할 일이 생기고 여자에 대해 생각할 일도 뒤따른다.

◇ **성문, 방문 등 각종의 문을 열고 안쪽을 살핀 꿈은**/사업상의 일로 남이 소유하고 있는 사업장을 방문하거나 재정상태 등을 조사할 일이 생긴다.

◇ **누군가를 엎어놓고 위에서 누른 꿈은**/사업이나 기타 여러가지 경쟁에서 승리한다.

◇ **복면을 한 강도를 만난 꿈은**/전혀 알지 못하는 사람이 접근해 피해를 주고 자신도 모르는 사이에 사라진다.

◇ **애인이 창문을 열고 밖을 내다본 꿈은**/그녀와 더욱 뜨겁게 사랑하게 된다.

◇ **헝겊조각이나 신문지 등 하찮은 물건으로 얼굴을 덮은 꿈은**/어떤 사건의 죄를 뒤집어쓰거나 자유가 구속되는 등 일신상의 일이 일어나게 된다.

◇ **엎드려 있는 사람을 젖힌 꿈은**/쉽게 처리할 수 있는 일에 손을 대나 갈수록 어려워진다.

◇ 조상이 대문 안으로 들어온 꿈은 / 기울던 가문이 트이기 시작해서 하는 일마다 성공을 거둔다.

3) 연설 · 시험 · 소식

◇ 시험 감독관 앞에서 답안지를 작성한 꿈은 / 신원조회를 받거나 불신검문을 받게 된다.

◇ 시험을 치러 갔는데 늦게 도착한 꿈은 / 무슨 일을 하든 남에게 인정을 받지 못한다.

◇ 구술시험을 본 꿈은 / 사업상의 일 등으로 사람을 만나 논쟁을 벌일 일이 생긴다.

◇ 시험에 떨어져서 슬퍼하거나 많은 사람들로부터 질책을 받은 꿈은 / 어떤 일이든 순조롭게 진행되며 시험칠 일이 있으면 무난히 합격한다.

◇ 시험을 치는데 남의 것을 훔쳐본 꿈은 / 시험에 떨어져 슬퍼했던 꿈과 똑같은 결과에 직면한다.

◇ 시험에 떨어진 것을 확인하고 집으로 돌아오다 꿈이 깬 꿈은 / 시험을 치르면 수석을 하거나 우수한 성적으로 합격하게 된다.

◇ 시험감독관에게 작성한 답안지를 제출한 꿈은 / 전근을 가게 되거나 직장을 옮기게 된다.

◇ 시험과는 관계가 없을 사람이 시험을 치르고 있는 것을 본 꿈은 / 계획했던 일을 시작하면 쉽게 이루어지고 취직운도 트이게 된다.

◇ 합격자 발표를 하는데 자신의 이름이 유난히 돋보인 꿈은 / 수석으로 합격하게 된다.

◇ 시험을 치르는데 필기구가 없어서 마음을 졸였던 꿈은 / 시험에도 떨어지고 취직이 되지 않아 의기소침해진다.

◇ 시험을 치르는데 문제가 몹시 어려웠던 꿈은 / 해결할 수 없는 문제가 발생해 어려 방면으로 고통을 받을 일이 있다.

◇ 많은 이야기를 한 꿈은 / 실질적으로 많은 말을 해야 할 일이 생긴다.

◇ 사촌이 성혼을 했다는 소식을 들었던 꿈은 / 가까운 사람이 동거생활에 들어갔다는 사실을 알게 된다.

◇ 군중들의 앞에서 열렬하게 웅변을 토한 꿈은 / 어떤 단체에 가입해 기반을 닦게 되고 작품 등을 발표하게 된다.

◇ 연설을 하는데 군중이 꾸역꾸역 몰려든 꿈은 / 큰 사업을 시작해도 잘 풀리지 않아 도산의 위기에 처하게 된다.

◇ 하늘에서 무슨 말인가가 들렸던 꿈은 / 사람의 입을 통해서나 우편물 등으로 획기적인 사실을 알게 된다.

◇ 시험 때문에 몹시 괴로워했던 꿈은 / 풀리지 않는 일을 풀려고 노력하지만 그러면 그럴수록 꼬이기만 한다.

◇ 연설을 하는 도중에 모였던 군중들이 흩어져 버린 꿈은 / 자신의 계획에 동조해 줄 사람이 많아서 무슨 일을 하든 무난히 처리된다.

◇ 아무도 없는 산꼭대기에서 연설을 한 꿈은 / 세상 사람들이 크게 놀랄만한 일을 혼자서 쉽게 처리한다.

4) 물놀이 · 날으는 꿈

◇ 어딘가를 가다가 생각지도 않았던 곳에서 수영을 한 꿈은 / 어느

사업장에서 임시직원으로 일해 달라는 부탁을 받는다.

◇ **보트를 타지 않고 헤엄을 쳐서 강을 건넌 꿈은**/직장에서 진급을 하거나 작품을 심사기관에 출품한 사람은 입상했다는 통지를 받는다.

◇ **동물이 헤엄치는 것을 본 꿈은**/정부기관의 개입에 의하여 자신이 하고 있는 일이 발전한다.

◇ **물살이 센 강이나 시내에서 수영을 한 꿈은**/사악한 꼬임에 빠지거나 질병에 걸릴 염려가 있다.

◇ **거울 같이 수면이 잔잔한 곳에서 수영을 한 꿈은**/모든 생활에서 원만하여 어려움이 없고 하는 일도 거의 실패가 없다.

◇ **창공을 날고 있는 새를 본 꿈은**/잔잔하던 생활에 갑작스레 변화가 생기거나 정부기관으로부터도 간섭을 받는다.

◇ **옷을 입은채로 수영을 한 꿈은**/자신의 직권을 이용하여 잘못된 일을 옳다고 우길 일이 생긴다. 그러나 스스로 잘못을 뉘우치고 후회하게 된다.

◇ **애인과 함께 창공을 날아다닌 꿈은**/진행 중에던 혼담이 성사되고 어떤 일거리를 맡았을 때 순조롭게 진행된다.

◇ **물에 빠진 사람을 구해서 함께 헤엄쳐 나온 꿈은**/주어진 일에 열심히 일하지만 아무 보람을 못느낀다.

◇ **열심히 수영을 하는데도 제자리에서 맴도는 꿈은**/사업이나 사적인 일도 순조롭게 진행되지 않아 불만만 잔뜩 쌓이게 된다.

◇ **팬티도 입지 않은 채로 수영을 한 꿈은**/무슨 일을 하든 간섭하는 사람이 없어 그 누구보다도 자유스럽다.

◇ **두더지처럼 땅 속에서 헤엄을 친 꿈은**/위법성을 띤 일에 손을 대게 되어 정부기관에 해를 끼치게 된다.

◇ **항해 도중 배가 파손되어 헤엄을 치다가 구조된 꿈은**/실직이나

파산 · 파혼 직전에 사건이 호전되어 제 위치를 찾게 된다.

◇ **높은 곳으로 날아오른 꿈은** / 모든 일을 대하고 행함에 있어서 꿈속에서 날아오른 높이에 비례해서 그만큼 호전된다.

5) 약탈 · 절도 · 얻는 것 · 잃는 것 · 은폐 · 노출 · 움직이지 못함

◇ **누군가가 자기 물건을 훔쳐간 꿈은** / 평생 동안 쌓아올렸던 명예와 재물 등이 손실된다.

◇ **어떤 사람이 소름이 끼칠 정도로 무섭게 노려본 꿈은** / 방해자가 나타나 사업에 해를 끼치거나 질병에 걸릴 염려가 있다.

◇ **벌거벗은채로 고향에 내려간 꿈은** / 소원하던 것이 이루어지지 않으며 사람들이 자신의 곁을 떠나버려 심한 고독감에 빠지게 된다.

◇ **나체가 된 몸을 가리려고 애를 쓴 꿈은** / 남에게 공개해서는 안될 일을 하게 되고 어느 누가 접근을 해도 공개하지 않는다.

◇ **치마 속이나 그밖의 옷 속에 물건을 감춘 꿈은** / 임신을 하거나 사업이 번창하고 재물이 생긴다.

◇ **훔친 물건을 누구에겐가 준 꿈은** / 피나는 노력을 해서 잡은 기회가 물거품이 되어 버린다.

◇ **맹수가 노려보는 앞에서 얼어붙어 버린 꿈은** / 자신의 능력으로는 해결하기 어려운 일을 떠맡게 된다.

◇ **나체를 가리려고 하는데 사지가 말을 듣지 않은 꿈은** / 사업체가 도산 위기에 처하게 되고 절망감을 해소할 길이 없다.

◇ **무엇인가를 얻은 꿈은** / 협조자가 나타나거나 재물이나 권리를 부

여받게 된다.

◇ **물건을 잃어 버린 꿈은**/무엇인가를 얻은 꿈과 반대의 현상이 일어난다.

◇ **위급한 순간인데 몸이 말을 듣지 않았던 꿈은**/자신의 무능력을 자기가 체험하게 되어 절망감에 빠지게 된다.

◇ **누군가를 공격하려고 하는데 몸이 전혀 움직이지 않았던 꿈은**/철저한 계획을 세운 후에 일을 추진해도 실패를 하게 되고 헤어날 방도가 없다.

◇ **자신의 소지품을 여러 사람에게 공개한 꿈은**/능력을 남에게 과시할 일이 생기거나 중요하게 간직했던 비밀을 누구에겐가 털어놓게 된다.

◇ **알몸을 아무 부끄러움 없이 노출시킨 꿈은**/여러 사람 앞에서 망신당할 일이 생긴다.

◇ **뛰려고 애를 쓰는데 발이 떨어지지 않는 꿈은**/급하게 처리할 일이 있으나 마음만 급할 뿐 뜻대로 되지 않는다.

6) 부수고 깨고 뚫음·매듭·쌓고 허뭄·기침·구토

◇ **벽을 뚫고 그 안으로 들어간 꿈은**/시험에 수석으로 합격하거나 지금까지 깨닫지 못하던 것을 알게 된다.

◇ **축대나 둑을 쌓는 꿈은**/꿈 속의 작업진도에 비례해서 사업의 진전도 있게 된다.

◇ **생활 필수품이나 곡식 등을 높이 쌓아올린 꿈은**/여유 있는 돈이 생겨 저축을 하게 되거나 묵묵히 맡은바 일을 하는 가운데 자신도

모르는 사이에 공적이 쌓이게 된다.

◇ **쉬지 않고 재채기를 한 꿈은**/의문스러웠던 일을 속시원히 알게 되거나 정신적으로 큰 타격을 받을 일이 생긴다.

◇ **높게 쌓은 물건을 무너뜨린 꿈은**/어떤 희망이 소멸되거나 병마에서 깨어나게 된다.

◇ **차곡차곡 쌓아놓은 물건을 다른 곳으로 옮긴 꿈은**/이사를 하게 되거나 직장에서 인사이동을 체험하게 된다.

◇ **실타래 등이 풀지 못할 정도로 뒤엉켜 있는 꿈은**/여러 가지 걱정거리가 한꺼번에 엉켜 헤쳐나갈 길이 막막하다.

◇ **물건을 던지거나 떨어뜨려서 박살이 난 꿈은**/사업의 진로를 바꾸게 되거나 소원하던 것이 이루어지게 된다.

◇ **뒤엉켜 있는 실타래를 순조롭게 풀 수 있었던 꿈은**/오래 묵은 걱정거리가 해결되거나 사업상 어려웠던 점도 순조롭게 풀린다.

◇ **감기나 기타 질병에 걸리지 않았는데도 심하게 기침을 한 꿈은**/참고 있었던 울분을 토해낼 일이 있거나 좋지 않던 감정을 풀 일이 생긴다.

7) 찬성·반대·아우성·호통·언쟁·박수·시비·충고

◇ **열심히 박수를 친 꿈은**/어떤 압력에 의해 자신의 의견을 주장하지 못하게 되거나 사건에 깊게 말려들게 된다.

◇ **남편이 아내에게, 아내가 남편에게 화풀이를 한 꿈은**/자신 이외의 어느 누가 일을 해도 마음에 들지 않으나 결과를 보고는 크게 만족한다.

◇ **누군가에게 호통을 치는데 그가 꼼짝도 하지 않고 앉아 있는 꿈은**/무슨 일을 하든 자신이 주장을 내세우며 과감하게 잘못된 점을 수정한다.

◇ **무조건 호통만을 쳤던 꿈은**/쌓였던 감정을 폭발시킬 일이 있으며 대인관계에서 상대방을 제압하여 승리감에 도취되게 된다.

◇ **많은 사람들이 모여 비명을 지른 꿈은**/군중이라고 말할 수 있을 정도로 많은 사람들이 자신이 한 일에 대해 감탄을 하게 된다.

◇ **심한 욕을 하는데도 상대방은 묵묵부답인 꿈은**/해결책이 없다고 포기했던 일이 해결되고 걱정거리가 모두 없어진다.

◇ **벌을 주어야 할 죄인을 용서하고 풀어준 꿈은**/진행 중이던 일이 중단되거나 모든 것이 완성단계에서 무너지고 만다.

◇ **구름처럼 모인 군중들이 미친 사람처럼 광란을 한 꿈은**/많은 사람들이 일을 방해하거나 의견을 받아들이지 않는다.

◇ **어떤 일이 됐든 무조건 좋다고 동의한 꿈은**/무슨 일을 하든 만족감을 얻을 수 있고 정신적으로 평화로움을 만끽한다.

◇ **누구에겐가 잘못했다고 빈 꿈은**/하루 종일 불만스러운 일만 일어나게 되어 피로에 지치게 된다.

◇ **거친 행동을 하는데도 상대방이 계속 빙글빙글 웃는 꿈은**/자신은 만족스러운 일을 해놓고 여유만만해 하지만 누구 한사람 치하를 하지 않는다.

◇ **신령적인 존재에게 용서를 빌었던 꿈은**/유명인사에게 뇌물을 주고 청탁을 하면 자신이 바라는 성과를 얻을 수가 있다.

◇ **누구에겐가 충고를 들었던 꿈은**/반성해야 할 행동을 하거나 어떤 일로 인하여 심한 양심의 가책을 받게 된다.

◇ **생사를 건 싸움을 한 꿈은**/자신의 일에 대해 불만이 쌓이거나

시비거리가 생기기 쉽다.

◎ **많은 군중이 자신을 향해 박수를 쳐준 꿈은**/사람들을 감동시킬 일이 생긴다.

8) 미끄러지고 빠지는 꿈·떨어지고 오르는 꿈

◎ **튼튼하게 박힌 기둥에 오르는 꿈은**/강자의 비위를 맞추며 도움을 기대하게 된다.

◎ **산꼭대기에 오른 꿈은**/바라던 것이 쉽게 이루어지고 명예와 권리도 뒤따른다.

◎ **낭떠러지로 뛰어내리면서 짜릿한 기분을 느낀 꿈은**/어떤 형태로든 바라던 것이 이루어지게 된다.

◎ **높은 곳으로 한없이 올라간 꿈은**/자신의 지위나 위치가 향상되고 하급 사람들로부터 존경을 받게 된다.

◎ **얼음판 위를 조심조심 걸어간 꿈은**/부진했던 사업은 활기를 되찾으나 그 진행 속도가 한없이 느리고 고달프다.

◎ **높은 곳에서 떨어진 꿈은**/힘겹게 쌓았던 명예가 일시에 떨어지거나 신상에 커다란 변화가 온다.

◎ **높은 곳에서 떨어져 부상을 당한 꿈은**/자신에게 막강한 타격을 줄 실수를 저지르게 되고 그로인해 큰 손해를 입게 된다.

◎ **높은 곳에서 떨어지는 도중에 꿈에서 깨어난 꿈은**/사랑하던 사람과 헤어지게 되거나 희망이 사라지고 질병 등 육체적인 시달림을 받게 된다.

◎ **계단을 올라가다 넘어져서 데굴데굴 구른 꿈은**/여러 사람과 경

쟁하는 모든 일에서 뒤떨어지게 되고 하는 사업도 진전이 없다.

◇ **풀뿌리나 나뭇가지 등을 움켜잡으며 힘겹게 산으로 오른 꿈은**/해결할 수 없던 일로 고민하고 있는데 뜻하지 않았던 협조자가 나타나서 해결해 준다.

◇ **한쪽발이 수렁에 빠졌는데 곧 뽑아낸 꿈은**/누군가의 모함에 빠져 곤욕을 치르게 되지만 이내 결백함이 증명된다.

◇ **높은 건물에서 뛰어내렸는데 죽지 않은 꿈은**/회사에 취직이 되거나 많은 사람들이 자신을 과대평가 해준다.

◇ **높은 곳으로 여겨지는 곳에 오른 꿈은**/승진이 되거나 자기 사업과 관련이 있는 기관의 도움을 받아 승승장구한다.

◇ **높은 곳에서 떨어지던 중 나뭇가지나 전기줄 등에 걸려 살아난 꿈은**/부도직전에 기사회생하거나 구사일생이란 말을 인용할 일이 생긴다.

◇ **높은 곳을 오르려하는데 너무나 힘이 들고 위험하다는 생각이 들었던 꿈은**/목적을 달성하는데 너무 험한 고통이 뒤따르며 그로 인해 끼니 걱정까지도 하게 된다.

◇ **수렁에 빠져서 허위적거리고 있는 황소를 구출해낸 꿈은**/가깝게 지내던 사람이 꿈 속의 소처럼 힘겨운 일에 부딪히게 되지만 자신의 힘으로 큰 도움을 줘 몰락 직전에서 구해주게 된다.

◇ **까마득한 허공에서 떨어져 머리가 깨어져서 죽은 꿈은**/어렵기만 하던 사업이 풀리기 시작하고 좋은 아이디어가 가미된 새로운 사업계획을 세우게 된다.

9) 여행·충돌·깔리고 치는 꿈·사고 파는 꿈

◎ **학우들과 함께 수학여행을 한 꿈은**/여러 사람이 협력해서 해야 하는 일에 종사할 일이 생긴다.

◎ **여행을 하는 도중에 많은 우여곡절을 겪은 꿈은**/평소 원하던 것이 이루어지거나 사업체도 크게 번창하게 된다.

◎ **가게에서 물건을 산 꿈은**/어떤 일거리를 불하받았을 때 꿈 속에서 산 물건의 대소에 따라 그만큼의 이익을 얻게 된다. 즉 물건을 많이 샀을 때 많은 이익을 얻게 되는 것이다.

◎ **교통수단을 이용했는데 사고를 당한 꿈은**/주위 환경에서 큰 변화가 일어나는데 그 변화가 자신에게는 큰 이득을 가져다 준다.

◎ **어떤 형태로든 집을 떠나 여행을 한 꿈은**/사업이나 직장의 일, 대인관계 등의 일과 관계하게 된다.

◎ **정신이 아찔할 정도로 어딘가에 강하게 부딪힌 꿈은**/대립돼 있던 감정이 풀리거나 상대방과 서로 합의할 일이 생긴다.

◎ **교통사고를 당한 꿈은**/자신의 주장이 채택되거나 상급기관에 청탁한 일이 좋은 결과를 가져온다.

◎ **차나 비행기, 배 등을 탄 꿈은**/어떤 단체의 일원이 되어 보람 있는 일을 하게 된다.

◎ **어떤 사람에게 물건을 판 꿈은**/어떤 단체나 개인에게 헌신적으로 봉사할 일이 생기게 된다.

◎ **자신이 관직에 근무하는 사람이 되어 순찰을 돈 꿈은**/내근에서 외근으로 부서를 바꾸거나 오지로 발령을 받게 된다.

◎ **어떤 사람이 무거운 물건에 짓눌려 있는 것을 본 꿈은**/자신과

직접 · 간접으로 연결돼 있는 일의 매듭이 풀려 좋은 성과를 얻게 된다.

◎ 자신이 자동차나 바위 등 치명타를 줄 수 있는 물건에 치인 꿈은 / 정부기관이나 단체의 도움을 받아 어렵게 여겨졌던 사업이 성공하게 된다.

10) 독서 · 구속 · 가르침 · 가리킴 · 그림 · 글씨

◎ 글씨를 쓰거나 작문을 한 꿈은 / 자신의 모든 걸 숨김없이, 송두리째 남에게 보여줄 일이 생기게 된다.

◎ 수갑을 찬 채 경찰관에게 끌려간 꿈은 / 예술가인 경우는 자기의 작품이 사람들에게 능력을 받게 되나 일반인인 경우는 기관으로부터 어떤 간섭을 받게 된다.

◎ 작문시험을 보던 중 답안지를 시험감독관에게 바친 꿈은 / 자신의 신원조회를 받게 되거나 힘있는 사람에게 협조를 구하게 된다.

◎ 교실에 앉아서 열심히 공부를 한 꿈은 / 매스컴에 자신의 의견을 피력하거나 부하 직원들에게 많은 양의 일거리를 주게 된다.

◎ 애인에게 시를 낭독해준 꿈은 / 애인에게 자신의 사랑을 다시 한번 확인시켜 주게 된다.

◎ 필기구를 꼭 쥐고 소중하게 생각했던 꿈은 / 계획을 세워놓았던 어떤 일이 결실을 맺게 된다.

◎ 열심히 그림을 그린 꿈은 / 어떤 사람의 내면을 깊숙이 관찰하게 되거나 자신의 운명을 생각해 볼 일이 있다.

◎ 뱀이 자기의 몸뚱이를 칭칭 감았던 꿈은 / 이성과 육체적인 결합

을 하게 되거나 총각·처녀는 결혼날짜를 잡게 된다.

◇ **남에게 필기구를 건네준 꿈은**/자기에게 돌아올 몫의 일거리를 누군가가 가로채 갈 일이 생긴다.

◇ **자기의 필체에 대해 좋은 평가를 받은 꿈은**/정부 당국의 지시대로 따르지 않으면 큰 화를 면치 못하게 된다.

◇ **누군가를 꽁꽁 묶어서 끌고다녔던 꿈은**/심복이 될만한 인물을 고용하게 되거나 상품을 탈 일이 생긴다.

◇ **칠판에 그림을 그려놓고 사람들에게 따라서 그리라고 한 꿈은**/부하 직원이나 자신을 따르는 사람들에게 어떤 일을 따로따로 떼어서 시키게 된다.

◇ **눈으로만 책을 읽은 꿈은**/평소 존경하던 사람이 시키는 일을 아무런 불평불만 없이 처리하게 된다.

11) 쫓고 쫓김·공격·협조·거꾸로서기·딩굴기

◇ **뒤집힌 배가 유유히 떠다니는 꿈은**/직장이나 가정이 안정을 찾지 못하고 한동안 그에 따른 고통을 겪게 된다.

◇ **어떠한 표현이 거꾸로 됐다고 생각한 꿈은**/어떤 일을 함에 있어서 자신이 원했던 반대현상이 일어나거나 불안한 상태가 끝도 없이 계속된다.

◇ **칼로 상대방을 찔렀는데 죽지않고 자신을 쫓아온 꿈은**/목표달성에 돌입한 사업이 좌절되어 오랫동안 심한 고통에 시달리게 된다.

◇ **확실한 계획을 세워두고 상대방을 공격했던 꿈은**/어떤 일을 성

사시키려고 노력하면 그 노력에 비례해서 이득이 생기게 되고 이성 문제도 원활한 상태를 유지할 수가 있다.

◇ **어려움에 처한 자신을 누군가가 도와준 꿈은** / 꿈 속의 실제 인물이나 아니면 그 주위의 인물로부터 극적인 도움을 받게 된다.

◇ **갖가지 물체가 어지럽게 뒹굴고 있는 꿈은** / 자신과 직·간접으로 연결된 일들에 커다란 변화가 있거나 많은 사람들이 부러워할 일을 벌이게 된다.

◇ **해나 달이 떨어져 데굴데굴 구르는 것을 본 꿈은** / 자신이 이룩한 일이 오랫동안 남들의 머리 속에 남아 있는다.

◇ **거꾸로 서 있는 사람을 본 꿈은** / 자신이 하고 있는 일의 순서가 바뀌게 되거나 직장에서 선배를 젖히고 자신이 먼저 승진을 하게 된다.

◇ **누군가가 자신을 공격하려 하는데 몹시 무섭게 여겨졌던 꿈은** / 잘못이 없는데도 몰매를 맞게 되거나 여러 사람들로부터 공박당하게 된다.

◇ **누군가가 자신을 도와준 꿈은** / 꿈 속에서와 마찬가지로 남으로부터 도움을 받게 된다.

◇ **여러 사람이 줄을 서 있는데 그 중 한 사람이 거꾸로 서 있는 꿈은** / 누군가의 건의나 의견을 묵살하게 되며 그로 인해 큰 피해를 입게 된다.

◇ **혼자서 방어하거나 혼자서 공격을 한 꿈은** / 누구의 도움도 없이 혼자서 처리해야 할 일이 생겨 심한 외로움을 느끼게 된다.

◇ **남의 간호를 받으면서 병고를 겪고 있었던 꿈은** / 부실하던 사업이 남의 참여로 인하여 호기를 띠기 시작한다.

◇ **어떤 사건에서 빠져나가기 위해 무작정 도망쳤던 꿈은** / 무슨 일

을 하든 실패와 고통이 뒤따르며 심한 좌절감을 맛보게 된다.

12) 자살 · 살인 · 타살 · 소생

◎ **사람을 죽이고 정당방위를 주장했던 꿈은** / 열심히 노력해서 목표를 달성하지만 충분한 댓가를 받지 못한다.

◎ **맹수가 달려드는데 그것을 죽인 꿈은** / 미궁에 빠진 사건을 통쾌하게 처리하게 되고 임산부는 유산할 가능성이 있다.

◎ **자신을 해치려는 괴한을 죽인 꿈은** / 처리하기 힘든 일에 방해자까지 나타나도 결국은 무난히 성공을 거두게 된다.

◎ **독충이나 해충을 죽인 꿈은** / 방해자가 스스로 물러나거나 근심걱정이 없어지게 된다.

◎ **누군가에게 피살당한 꿈은** / 자신이 처리해야 할 몫의 일거리가 다른 사람에 의해서 이루어진다.

◎ **총 한방으로 두 사람을 동시에 죽인 꿈은** / 한 가지의 방법에 의해서 두 가지의 일이 성취된다.

◎ **자기와 가까운 사람을 무자비하게 죽인 꿈은** / 어떤 일이나 사건을 떠맡아도 속시원하게 처리해낸다.

◎ **살인하는 현장을 목격한 꿈은** / 자기와 직 · 간접으로 연결된 갖가지 일이 빠짐없이 이루어진다.

◎ **자살을 한 꿈은** / 하던 사업의 진로를 바꾸거나 직장을 옮겨 새로운 기분으로 일을 시작하게 된다.

◎ **살생을 하고 양심의 가책을 심하게 받았던 꿈은** / 열심히 작업에 임해도 뒷처리가 깨끗하지 못해 사람들로부터 손가락질을 받는다.

◎ **사람이나 곤충 등 생명체를 죽인 꿈은** / 어떤 일을 하든 시작부터 마무리까지 완벽하게 처리하게 된다.

◎ **위험에 처해 있는 사람을 구해준 꿈은** / 어떤 일거리를 맡았을 때 정신적, 육체적 고통만 뒤따를 뿐 그만한 댓가를 받지 못한다.

◎ **자신이 직접 사형을 집행한 꿈은** / 유명메이커의 대리점권을 따내거나 직장에 입사해 요직에 배치되게 된다.

◎ **극약을 먹고 자살한 꿈은** / 어떤 일을 처리함에 있어 과학적인 기술을 도입해 누구나 깜짝 놀랄만한 성과를 이루게 된다.

◎ **전쟁이 일어났는데 적병을 한 명도 죽이지 못한 꿈은** / 여러 계통에서 많은 일거리를 받아 모두 순조롭게 처리되는데 한가지가 해결되지 않아 고통을 감당하게 된다.

◎ **살인자를 잡기 위해 헤맸던 꿈은** / 자신을 여러모로 도왔던 사람을 대접하거나 사례를 하게 된다.

◎ **차를 타고 가는데 그 차가 사람을 치어 죽인 꿈은** / 자신의 사업체나 직장이 자신으로 말미암아 크게 번창하게 된다.

◎ **경찰의 수배를 받아 도망다닌 꿈은** / 어떤 일의 중심인물이 되어 열심히 노력하지만 만족할만한 결과를 얻지 못한다.

◎ **무심코 시체를 봤는데 그 시체가 바로 자신이었던 꿈은** / 원하던 것을 얻을 수 있고 출품했던 작품 등이 입선하게 된다.

◎ **누군가를 분명히 죽였는데 죽지않고 쫓아오는 꿈은** / 마무리가 됐다고 생각했던 일에 하자가 생겨 물질적 · 정신적 손해를 입게 된다.

13) 걷거나 뛰는 꿈

◇ **짐승을 끌고 간 꿈은**/어떤 일이 자기가 계획했던 대로 잘 진행이 되거나 자신의 의견에 반대하는 사람이 없다.

◇ **반복해서 넓이뛰기를 한 꿈은**/이사를 하게 되거나 직장에서의 직책에 변동이 생기게 된다.

◇ **앞에 가는 사람을 졸졸 따라간 꿈은**/자신이 하고자 하는 일에 헌신적으로 따라줄 사람을 만나게 된다.

◇ **상대방이 무서워서 뒷걸음질을 치거나 도망친 꿈은**/어떤 일을 하든 불안감에 싸이게 되며 결국 그 일로 인하여 커다란 패배감을 맛보게 된다.

◇ **똑바로 길을 가는데 난데없이 장해물이 나타나 그것을 피해서 우회한 꿈은**/순조롭게 진행되던 일에 어떤 방해가 생겨 어렵게 추진하게 된다.

◇ **장소를 가리지 않고 싸돌아다닌 꿈은**/연구 등 어렵고 복잡한 일에 관심을 갖고 몰두하게 된다.

◇ **함께 가야 할 사람과 따로따로 떨어져서 걸어간 꿈은**/동업자나 함께 일해야 할 사람과 결별하게 된다.

◇ **집 또는 고향으로, 차를 타지 않고 걸어간 꿈은**/벌려놓았던 일이 종결되거나 더이상 할 일이 없어지게 된다.

◇ **사람들이 구름떼처럼 몰려든 꿈은**/하고 있는 일이 힘에 벅차고 고통이 쌓인다.

◇ **집에서 집식구가 아닌 남이 나간 꿈은**/ 부담감을 갖고 있던 일이 해소되거나 그 일을 자기 일처럼 처리해줄 사람이 나타난다.

◇ **빨리 가야 하는데 마음만 조급할 뿐 걸음이 걸어지지 않았던 꿈은**/상급 기관에 부탁했던 일이 잘 이루어지지 않아 애를 태우게 된다.

◇ **높이뛰기 등의 운동을 했던 꿈은**/원했던 일이 이루어지거나 승진을 하게 되며 만사형통이다.

◇ **애인과 낯선 곳에서 데이트를 한 꿈은**/오가던 혼담이 성사되거나 큰 이익을 얻을 수 있는 일거리를 맡게 된다.

◇ **울타리 안의 좁은 공간에서 서성댔던 꿈은**/진행되던 일이나 계획이 더이상의 진전 없이 그 정도에서 그치게 된다.

◇ **예식장으로 들어간 꿈은**/어떤 모임에 초대를 받게 되거나 많은 사람들과 인사를 나눌 일이 생긴다.

◇ **달리기, 그네뛰기 등 움직임이 빠른 운동이나 오락을 했던 꿈은**/급하게 처리해야 할 일이 생기거나 초조해 하고 고통스러운 일이 뒤따른다.

◇ **병에 걸려서 잘 걷지 못한 꿈은**/사람들에게 자랑할만한 큰 일을 이룩하게 된다.

◇ **걸어가다가 갑자기 걸음을 멈춘 꿈은**/순조롭게 진행되던 일에 불행이 닥쳐 도중에서 중단되게 된다.

◇ **집안으로 다른 식구가 들어온 꿈은**/혼자만이 알고 있는 비밀을 다른 사람들이 알려고 한다.

◇ **산과 들을 산책한 꿈은**/현재 진행하는 일에 계획 외의 변화가 생기고 운세에 기복이 생기게 된다.

◇ **앞으로 전진하거나 뒤로 후진하지 않고 똑같은 자리에서 껑충껑충 뛰었던 꿈은**/승진 등의 일로 직장에서 자리 변동이 생긴다.

◇ **좁고 울퉁불퉁한 길을 걸은 꿈은**/하는 일마다 고통이 뒤따르며

생각지도 않았던 나쁜 일이 생기게 된다.

◇ **아무런 목적도 없이 무작정 걸었던 꿈은**/앓고 있는 환자는 병상 생활을 오래하게 되며 사업가는 사업에 전혀 진전이 없다.

◇ **겨우 한사람만이 지나갈 수 있는 길을 가는데 상대편에서 다른 사람이 걸어온 꿈은**/누군가와 대립됐던 감정이 풀리거나 의견의 일치를 보게 된다.

◇ **깨끗하고 넓은 길을 걸은 꿈은**/하는 일마다 막힘이 없고 몸도 아주 편안해지게 된다.

◇ **처음 출발했던 곳으로 되돌아온 꿈은**/진행 중이던 일을 중단하고 원점에서부터 다시 시작해야 할 일이 생긴다.

◇ **누군가를 해치려고 뒤쫓아갔던 꿈은**/무슨 일이든 급하게 추진하지만 결과는 전혀 얻지 못한다.

◇ **자기 옆으로 많은 사람들이 스쳐 지나간 꿈은**/어떤 형태로든 자기와 인연을 맺을 사람들이 나타나게 된다.

14) 인사 · 악수 · 쓰다듬는 꿈

◇ **상대방에게 절을 하자 그가 미소를 지은 꿈은**/꿈 속의 상대방에게 청탁할 일이 있어 청탁은 하지만 그 후에 서로 좋지않은 감정이 생긴다.

◇ **대통령 등 국가원수에게 거수경례를 한 꿈은**/정부나 권력이 있는 사람에게 개인적 혹은 단체를 위해서 도움을 청할 일이 생긴다.

◇ **어딘가를 향해 큰절을 한 꿈은**/주위 환경에 큰 변화가 생기기를 원하게 되고 그것이 곧 현실로 나타난다.

◇ **무엇인가를 자꾸만 쓰다듬었던 꿈은** / 불쾌감이나 불만, 불안감을 갖게 될 일이 생긴다.

◇ **집안 어른에게 큰절을 한 꿈은** / 정부기관이나 단체로부터 상을 받거나 아니면 부탁할 일이 생긴다.

◇ **누군가와 손을 맞잡고 걸은 꿈은** / 어떤 사람을 만나든 일을 함에 있어서 손발이 척척 잘 맞는다.

◇ **절을 하는데 상대방이 외면해버린 꿈은** / 청탁한 일이 무산되고 다른 사람으로부터는 전혀 도움을 받지 못한다.

◇ **신령적인 상에게 절을 한 꿈은** / 권력층의 사람에게 부탁을 하면 반드시 들어준다.

◇ **신랑인 자신이 신부와 함께 절을 한 꿈은** / 자신의 발명품이나 개발품 등을 특허청 등에 제출해서 상표권 등을 따낼 수 있다.

◇ **악수를 하고 손을 강하게 흔들었던 꿈은** / 어떤 거래나 대인관계에서 시끄러운 일이 생긴다.

◇ **국기를 향해서 경건한 마음으로 목례를 한 꿈은** / 국가에 이익이 되는 일을 하게 되거나 국가기관으로부터 신임장이나 위임장 등을 받게 된다.

◇ **누군가가 손을 내밀어 높은 곳으로 끌어올려준 꿈은** / 어려움에 봉착하게 되어도 남의 도움을 받아 무난히 극복하게 된다.

◇ **병상에 있는 환자가 큰절을 받은 꿈은** / 병이 더욱 악화되거나 운명의 날이 며칠 남지 않은 것이다.

◇ **죽음 직전에 있는 사람의 손을 잡아서 구해준 꿈은** / 어떤 사람을 도와줄 일이 생기며 그 일로 인해 재정적인 큰 손해를 입게 된다.

◇ **누군가에게 공손히 절을 한 꿈은** / 꿈속의 사람에게 부탁을 할 일

이 생기며 원했던 결과를 얻게 된다.

◎ 신랑 신부가 서로 바라보고 맞절을 한 꿈은 / 하는 일마다 꼬이기만 하고 뜻대로 되는 일이 없다.

◎ 상대방의 손을 두 손으로 감싸잡은 꿈은 / 형제나 연인, 사제 등의 도움을 받게 된다.

◎ 손위의 사람이 자기에게 절을 한 꿈은 / 자기보다 높은 지위에 있는 사람이 어떤 일을 부탁해온다.

◎ 방안에 있는 사람의 손을 잡아 끌어낸 꿈은/ 상대방의 의견이야 어떻든 자신이 살기 위해 남에게 피해 입힐 일이 생긴다.

◎ 상대방에게 절을 하고 그가 답례하는 것을 빤히 바라본 꿈은 / 누군가에게 부탁했던 일이 이루어지지 않는다.

◎ 상대방의 손을 잡았는데 몹시 차갑게 느껴졌던 꿈은 / 꿈 속의 상대방에게 냉대받을 일이 생긴다.

15) 속삭임 · 기절 · 놀람 · 결혼 · 물거나 물림

◎ 누군가에게 물린 꿈은 / 상대방이 누리고 있는 인기나 권세 등이 자기 쪽으로 옮겨져온다.

◎ 자신의 결혼식에 상대자가 바뀌어 버린 꿈은 / 계약할 일이 생기면 자신에게 유리한 조건이 된다.

◎ 결혼식장에 서 있는 자신을 거울을 통해 본 꿈은 / 이 꿈을 유부녀가 꿨다면 결혼 전에 사랑했던 사람을 우연히 만나게 된다.

◎ 두 마리의 서로 다른 짐승이 서로 물어뜯으며 싸우는 걸 본 꿈은 / 두 개의 서로 다른 세력이 단합하거나 원수처럼 지내던 사람과 화

해하게 된다.

◇ **커다란 동물이 자신을 물고 놓아주지 않은 꿈은**/직장이나 권력 등을 얻으면 오래도록 보직하게 된다.

◇ **누가 무슨 말인가를 속삭이는데 무슨 말인지 알아듣지 못한 꿈은**/자신이 어떤 의견을 내놓거나, 작품 등을 발표해도 사람들이 이해해 주지 않는다.

◇ **한 장소에서 합동결혼식을 하는 걸 본 꿈은**/진지한 회담에 참석하게 되고 그 회담이 몇 시간에 걸쳐 이루어진다.

◇ **남이 듣지 못하도록 서로 속삭이는 꿈은**/어떤 소문에 말려들게 되거나 여러 사람의 입에 오르내리게 된다.

◇ **무엇엔가 크게 놀란 꿈은**/무슨 일을 계기로해서 큰 감동을 받을 일이 생긴다.

◇ **결혼선물을 주고받은 꿈은**/계약서 등의 증서를 꾸밀 일이 생긴다.

◇ **결혼식장에 입장했는데 상대방은 물론 하객이 한 사람도 없었던 꿈은**/취직을 하게 되거나 새로 시작해야 할 일 등이 생긴다.

◇ **드레스를 입고 결혼식장에 입장한 꿈은**/직장을 옮기는 등 자신과 관련된 크나큰 변화가 있게 된다.

◇ **자기가 무서운 날짐승이 되어 약한 가축을 채어갔던 꿈은**/자기의 권력이 막강해져서 많은 사람들이 따르게 된다.

◇ **동물이 피를 흘리고 비명을 지르며 싸움하는 것을 본 꿈은**/누군가가 회생할 수 없을 정도로 무참하게 몰락하는 것을 목격하게 된다.

16) 포옹 · 입맞춤 · 눈짓 · 보는 꿈

◇ **갓 태어난 아이를 안은 꿈은**/자기 능력으로는 해결할 수 없는 일을 맡고 고민하게 된다.

◇ **키스를 한 꿈은**/어떤 일을 하든 결실을 맺지 못하고 자신의 능력을 비관하게 된다.

◇ **이성인 상대방과 포옹을 한 꿈은**/감히 생각하지도 못했던 일이 생겨 고민에 빠지게 된다.

◇ **무엇인가를 뚫어지게 바라본 꿈은**/무슨 일을 하든 확실한 결과를 보게 되며 어떤 사업의 관리를 맡게 된다.

◇ **빛이 너무나 강렬해서 눈을 뜰 수 없을 정도였던 꿈은**/상대하는 사람의 능력, 정열 등에 눌려 자신의 능력을 제대로 발휘하지 못하게 된다.

◇ **키스를 하는데 어느 사이에 성기가 팽창한 꿈은**/자기보다 연하인 사람에게 훈계할 일이 있지만 열심히 훈계한 만큼 성과를 얻지 못한다.

◇ **상대방이 눈짓으로 무슨 지시를 한 꿈은**/떳떳하지 못한 거래를 할 일이 생긴다.

◇ **상대방이 자신의 전신을 찬찬히 뜯어본 꿈은**/자기에 대해서 자세히 알려고 하는 사람이 생기거나 어떤 기관으로부터 조사받을 일이 있게 된다.

◇ **어떤 형태로든 키스를 했던 꿈은**/기다리던 소식이 오거나 의심스러웠던 진상을 알게 되거나 누군가를 고소할 일 등이 생긴다.

◇ **반듯이 누워서 하늘을 바라본 꿈은**/개인적인 일에서 벗어나 국가적인 일에 지대한 관심을 쏟을 일을 체험하게 된다.

◇ **일하고 있는 상대방을 바라보고 있었던 꿈은**/직접적인 자신의 일이나 자신과 연관이 되는 남의 일에 종사하게 된다.

◇ **사랑하는 사람과 입마춤을 했는데 몹시 만족스러웠던 꿈은**/애인에게서 기쁜 소식을 듣게 되며 많은 일거리를 부탁받게 된다.

◇ **이성이 아닌 동성간의 열렬한 포옹의 꿈은**/여러 사람이 모여 토론을 해도 의견 일치를 보게 된다.

◇ **장시간 동안 키스를 했던 꿈은**/누구를 만나든 그 사람에 대한 모든 것을 정확히 알게 된다.

◇ **이성이 윙크를 했는데 어쩔줄 몰라 했던 꿈은**/명예에 손상이 될 일을 당하거나 누군가의 모함에 말려들게 된다.

◇ **어떤 물건을 두 팔로 꼭 안았던 꿈은**/어떤 업무나 작업의 책임자로 발탁되게 된다.

◇ **누군가가 자기를 꼭 안아준 꿈은**/이성에게 구혼을 청하거나 신령적 존재에게 자비를 구할 일이 생긴다.

◇ **키스를 했는데 몹시 불만스러웠던 꿈은**/누구에겐가 잘못을 저질러 죄스러웠던 점을 용서받으려하나 받아주지 않는다.

17) 서는 꿈 · 눕는 꿈 · 앉는 꿈

◇ **아무 곳에서나 엎드려 있었던 꿈은**/승부할 일이 있으면 패배자가 되며 누구의 감언이설에 속을 위험이 있다.

◇ **아무 곳에나 앉아 있었던 꿈은**/하던 일이 중단되거나 직장을 옮기게 된다.

◇ **누군가와 함께 나란히 누워 있었던 꿈은**/사업에 동업자가 끼어

들게 되며 오랜 세월이 지난 후에야 그 사업의 성과가 나타나게 된다.

◇ **이불을 덮은 채로 누워 있었던 꿈은**/진행 중인 일이 중단되기 쉬우며 질병에 걸리게 된다.

◇ **앉지도 서지도 않은 엉거주춤한 상태로 있었던 꿈은**/자신에게 불리한 일이 닥치나 빠져나갈 구멍이 없게 된다.

◇ **다소곳이 의자에 앉아 있었던 꿈은**/경제적인 도움이 될 일거리가 생기거나 원했던 회사에 취직이 된다.

◇ **반듯하게 누워 시간감각을 잊어버렸던 꿈은**/실직이 되어 긴 공백을 갖게 되거나 병상에 있는 사람은 치유기간이 길어지게 된다.

◇ **너무 오랫동안 잠을 잤다고 여겨지는 꿈은**/묵혀두었던 일을 다시 시작할 일이 생기거나 무관심했던 일에 관심을 갖게 된다.

◇ **누군가가 자기의 머리에 다리를 올려 놓고 누워 있었던 꿈은**/어떤 일을 하든 경쟁자에게 패배를 하게 된다.

◇ **잠자고 있는 사람을 본 꿈은**/활발하게 진행되던 일이 침체상태에 빠지게 된다.

◇ **여러 사람이 나란히 의자에 앉아 있는 꿈은**/여러 사람이 함께 일할 일이 생기고 많은 사람인데도 엇갈리는 의견이 없게 된다.

◇ **누군가의 무릎을 베고 누워 있었던 꿈은**/상대방이 자기의 부탁을 들어주며 누군가에게 자신의 모든 걸 의지하게 된다.

◇ **반듯하게 누워 있는데 발치에 누가 앉아 있었던 꿈은**/자신의 일에 방해하는 사람들이 많아 심한 어려움을 겪게 된다.

◇ **여행을 하던 중에 갈가에 앉아서 휴식을 취했던 꿈은**/순조롭게 진행되던 일에 이변이 생겨 중도에서 포기하거나 장시간 동안 보류상태로 남게 된다.

◇ **선 채로 성교하는 것을 본 꿈은**/꿈 속에서 본 그 당사자와 얽히고 설킨 일의 매듭이 풀린다.

18) 맞고 때림·걷어 참·춤·밟는 꿈·밀치는 꿈

◇ **실컷 얻어터진 꿈은**/남에게 칭찬을 받지 않으면 심한 비난을 받게 된다.

◇ **무용하는 것을 구경한 꿈은**/과대한 광고 등에 현혹되어 패배를 자초할 일이 생긴다.

◇ **음악에 맞추어 춤을 춘 꿈은**/과격한 시위를 목적으로 한 단체에로부터 가입교섭을 받거나 가입하게 된다.

◇ **여러사람이 하는 체조나 무용을 자신이 직접 지휘한 꿈은**/다른 사람의 사업을 인수하게 되거나 소액의 투자로 큰 이익을 얻게 된다.

◇ **큰 바위를 가볍게 굴려버린 꿈은**/자신의 미비한 힘으로 어떤 단체를 움직일 수 있게 된다.

◇ **강아지가 뒤따라오자 야멸차게 쫓아버린 꿈은**/자신의 일에 방해가 되는 사람을 따돌리게 되거나 병상에서 헤어나게 된다.

◇ **여러 사람에게 일시에 폭행을 당한 꿈은**/많은 사람들이 자신을 평가하게 되며 결과는 비교적 만족스럽다.

◇ **뒤쫓아오는 여자를 손으로 밀어서 넘어뜨린 꿈은**/교활하고 타산적인 사람을 설득할 일이 생긴다.

◇ **상처가 날 정도로 두들겨맞은 꿈은**/자신이 하고 있는 일에 대해 세상 사람들이 손가락질을 하며 비난하게 된다.

제15장
불·빛·열에 관한 꿈

1) 불

◎ 숲이나 얕은 언덕이 불타는 꿈은/하고 있는 일이 번창하고 잘 이루어진다.

◎ 전선이 합선되어 불이 번쩍거린 꿈은/어떤 기관에서 추진하는 일이 제대로 풀린다.

◎ 불이 다 타서 재만 남은 꿈은/사업이 잘 추진되어 가다가 돌발적인 사고로 인해 재물을 잃어버리게 된다.

◎ 물건이 타는데 불길은 없고 연기만 난 꿈은/공연한 헛소문이 떠돌게 된다.

◎ 상대방 몸에 불이 붙어 타는 것을 본 꿈은/자기의 일거리나 사업이 번창하게 된다.

◎ 화롯가에 여러명이 빙 둘러 앉아 있는 꿈은/상대방과 사소한 시비거리로 말다툼을 하게 된다.

◎ 벽이 갈라진 틈으로 연기가 나온 꿈은/음란한 사업을 하거나 불쾌한 일을 겪게 된다.

◇ **폭죽의 불꽃이 밤하늘에 찬란히 퍼지는 것을 본 꿈은**/계몽 사업으로 선풍적인 인기를 얻어 세인의 이목을 집중시킨다.

◇ **방안에 연기가 새어드는 꿈은**/전염병에 감염되기 쉽고 남에게 누명을 쓰게도 된다.

◇ **전기공사를 잘못하여 합선된 것이 폭음과 더불어 큰 불이 난 것을 본 꿈은**/하고 있는 일이 크게 성취되어 많은 사람들의 관심거리가 된다.

◇ **잔디에 불이 붙어 번져나간 꿈은**/자기가 소원한 일이 뜻대로 이루어진다.

◇ **난로에 불이 잘 붙었던 꿈은**/사업이 잘 운영되거나 소원이 충족된다.

◇ **남의 밭에 붙은 불이 자기 집에 옮겨 붙어 활활 탄 꿈은**/남의 권리나 재산을 자기 앞으로 이전해서 크게 부자가 된다.

◇ **아궁이에 불을 때는 것을 본 꿈은**/사업을 계획성 있게 추진시켜 나간다.

◇ **집이 활활 타고 있는 꿈은**/사업이 융성해져서 탄탄한 기반을 잡게 된다.

◇ **자기 몸에 불이 붙는 꿈은**/자기가 하고 있는 일이 순조롭게 잘 이루어지고 신분이 새로와진다.

◇ **건물이 폭탄을 맞아 화재가 난 꿈은**/여러 방면으로 사업이 크게 번창한다.

◇ **불이 여러 군데 옮겨 붙은 꿈은**/어떤 언론 · 출판 기관에서 자기와 관련있는 기사를 다루거나 광고하게 된다.

◇ **강물에 불이 붙은 꿈은**/어떤 기관과 협력한 정신적, 물질적 사업으로 크게 성공한다.

◇ **마당의 흙 속에서 불길이 한가닥 솟아오른 꿈은**/남에게 자신을 과시할 일이 한번쯤은 있게 된다.

◇ **타오르는 불길을 끈 꿈은**/번창하고 있던 사업이 도중에 방해물이 생겨 중단하게 된다.

2) 빛 · 열

◇ **자기의 그림자가 들판을 가로지른 꿈은**/자기의 영향력이 크게 사회에 미친다.

◇ **횃불을 들고 어두운 밤길을 걷는 꿈은**/어렵고 힘든 일을 극복하거나 진리를 깨닫게 된다.

◇ **모르는 사람이 전기줄을 거두어 간 꿈은**/사업이 중단되거나 남에게 청탁한 일이 이루어지지 않는다.

◇ **가로등 밑에서 일을 하거나 서 있는 꿈은**/어떤 협조자에 의해서 근심 걱정이 해소된다.

◇ **광선이 강하게 방안으로 들어온 꿈은**/어떤 강대한 외부 세력 또는 종교적인 힘이 자기에게 영향을 미친다.

◇ **남이 횃불을 들고 가는 것을 본 꿈은**/어떤 사람의 지도나 조언을 받는다.

◇ **불 가운데 있으면서도 타죽지 않은 꿈은**/여러 방면으로 부족한 것이 없는데도 일을 성사시키지 못한다.

◇ **투명한 물건이 빛을 받아 광선이 반사된 꿈은**/어떤 사람의 업적이나 일거리가 자기에게 도움을 준다.

◇ **초롱불을 들고 밤길을 간 꿈은**/동업자, 은인 등을 만나 일이 잘

추진되어 간다.

◇ **방안에 촛불이 환히 밝혀 있는 꿈은**/사업이나 소원이 자기 뜻대로 이루어지고 근심 걱정이 해소된다.

◇ **폭음과 더불어 하늘 일각에 섬광이 번쩍거린 꿈은**/사람들을 깜짝 놀라게 할 만한 기사거리를 읽게 된다.

◇ **성화대에 불이 잘 붙는 꿈은**/널리 교리를 전파하고 교회를 설립하게 된다.

◇ **창문에 그림자가 비친 것을 본 꿈은**/상대방에게 쉽게 접근하지 못한다.

◇ **전기불이 환하게 밝혀진 곳으로 간 꿈은**/매사에 하는 일마다 순조롭게 풀린다.

◇ **어두컴컴한 길을 걷는 꿈은**/새로운 소식을 듣거나 가보지 않은 곳에 간다.

◇ **빛이 방안으로 환히 들어온 꿈은**/해결되지 않은 문제가 풀리고 집안에 경사가 있게 된다.

◇ **폭발물이 터져서 죽은 꿈은**/어떤 혁명적이고 창의적인 일이 성사되어 기쁨을 함께 나눈다.

◇ **전기불이 깜빡거리는 꿈은**/하는 일이 계속 반복을 거듭한다.

◇ **성화를 들고 계속 달리는 꿈은**/이것이 태몽이라면 진리 탐구를 하거나 종교적 지도자가 될 아이가 태어나게 된다.

◇ **하늘에서 땅으로 번개와 같은 광선이 뻗은 꿈은**/자기가 하고있는 일이 많은 사람들을 감동시킨다.

◇ **전기줄을 방안에 새로 가설한 꿈은**/새로운 직장에 취직되거나 새로운 사업을 추진해 나간다.

◇ 밖에서 들여다 보는 집 창문에 불이 환히 밝혀져 있는 꿈은 / 어떤 기관에서 자기의 성실함을 인정해 준다.

◇ 전신에 화상을 입은 꿈은 / 어떤 사람과 인연, 계약을 맺거나 기념할 일 등이 생긴다.

◇ 금은 보화의 물체가 빛을 발하거나 그 빛이 하늘에 닿는 꿈은 / 업적, 작품 등이 크게 성취되어 많은 사람들에게 인정을 받는다.

◇ 이층과 아랫층에서 각각 불이 난 꿈은 / 상부층과 하부층에 관계된 일이 각각 번창하게 되고 선전 광고할 일이 생긴다.

제16장
승용구 · 우편 · 전신 · 전화에 관한 꿈

1) 비행기 · 로케트 · 우주선 · 인공위성

◇ 수많은 비행기가 떠서 싸움을 벌이거나 우왕좌왕 떠다닌 것을 본 꿈은/머리가 아프거나 복잡한 일에 얽매인다.

◇ 비행기가 착륙해서 자가용으로 변한 꿈은/국영기업체가 어떤 전환기에 개인 기업체로 바뀌는 것을 뜻한다.

◇ 비행접시나 인공위성을 타고 다닌 꿈은/좀 더 부귀로운 고급 기관에서 생활하게 된다.

◇ 우방국가 원수의 비행기를 샐러리맨이 탄 꿈은/근무하고 있는 거래처와 관련이 있고 같은 회사 계열로 전근하게 된다.

◇ 적기와 아군기가 공중전을 하는 걸 본 꿈은/자기 세력이나 남에 의해서 방해적인 여건을 물리친다.

◇ 비행기가 폭격하는 것을 본 꿈은/자기의 일을 변경시키거나 개선을 꾀한다.

◇ 무수한 편대비행이 계속되는 것을 본 꿈은/하고 있는 사업이 점차 발전되어 가는 것을 여실히 느끼게 된다.

◇ **적기를 격추시킬 수 있었던 꿈은** / 자기가 계획한 일이나 소원이 협조자에 의해서 무난히 성취된다.

◇ **비행기가 공중에서 폭파되거나 추락한 꿈은** / 자기의 신변이 새롭게 바뀐다.

◇ **비행기 안에서 비둘기가 나온 것을 안고 들어간 꿈은** / 이것이 태몽이라면 사회 봉사원, 간호원 등으로 활동할 자손을 얻게 된다.

◇ **편대비행를 하는 것을 본 꿈은** / 자기 사업이 계획성 있게 잘 추진되어 간다.

◇ **자신의 뒷모습을 기자가 비행기에서 촬영한 꿈은** / 어떤 공공단체에서 자기의 신변에 관해서 조사한다.

◇ **물건을 비행기가 실어다 준 꿈은** / 어떤 단체에서 책임을 지어주거나 일거리를 가져다 준다.

◇ **종이 비행기가 소리를 내며 날아가고 또다른 종이 비행기가 폭음과 함께 하늘을 날아간 꿈은** / 두 개의 감동적인 작품이 매스컴을 통해서 널리 알려진다.

◇ **비행기가 공중에서 기관총을 쐈는데 그 탄피를 주운 꿈은** / 지상에 발표한 작품을 수집하거나 복권, 경품권 등에 당첨될 가능성이 있다.

◇ **대통령의 전용기를 공무원이 탄 꿈은** / 정부 기관이나 고위층 간부급에 발탁되어 승진한다.

◇ **풍선이 떴던 위치에 수송기가 날아온 꿈은** / 어떤 사업을 시작하는데 협조자의 도움을 많이 받는다.

◇ **비행기가 크고 높은 빌딩을 폭파시킨 꿈은** / 구태의연한 봉건 사상, 기성 세대 등을 타파한다.

◇ **엔진이나 프로펠러가 여러개 달린 큰 비행기가 바다에 착륙한 것**

을 본 꿈은/어떤 연구 기관이 해외에 청착해서 큰 빛을 보게 된다.

◇ **비행기의 심한 폭격으로 여기저기에서 사람들이 도망친 꿈은**/출품한 작품이 탈락된다.

2) 기차 · 자가용 · 버스 · 트럭

◇ **기분이 좋아서 자가용을 운전하는 꿈은**/어떤 기업체를 운영해 나가거나 지휘권을 갖게 된다.

◇ **차를 탄 채 하늘을 날으는 꿈은**/자신이 하고 있는 사업에 세인의 관심이 쏠려 번창하며 현실에 만족한다.

◇ **많은 사람이 차 둘레에 몰려 있는 꿈은**/어떤 기업체에 많은 사람이 청원하거나 시비가 있게 된다.

◇ **자기집 분뇨를 분뇨차가 퍼간 꿈은**/어떤 재물의 손실이 있거나 세금을 납부하게 된다.

◇ **차바퀴에 펑크가 나서 고친 꿈은**/하고 있는 일을 다시 한번 재검토 한다.

◇ **자신이 승차한 차가 수렁에 빠진 꿈은**/사업이 운영난에 빠져 허덕이게 된다.

◇ **버스에 서서 있다 빈자리가 생기자 앉았던 꿈은**/외근 관계직에서 내근을 맡게 되거나 완전한 책임을 부여받는다.

◇ **철길을 여러개 지나거나 기차 밑을 지나간 꿈은**/어려운 난관을 지혜롭게 잘 극복해 나간다.

◇ **여러 대의 자가용이 자기집 마당에 정차되어 있는 꿈은**/사업상 협조자가 많이 있음을 나타낸다.

◇ **분뇨차가 냄새를 풍기면서 옆을 지나간 꿈은**/ 어떤 기관에서 좋지 않은 소문을 퍼트리거나 자기 신변에 관한 소문이 난다.

◇ **차가 가버려서 승차하지 못한 꿈은**/ 취직, 입학, 현상모집 등에서 탈락하게 된다.

◇ **차에 휘발유를 넣는 꿈은**/ 사업 자금을 많이 투자하게 된다.

◇ **차가 강물에 떠내려가 사라진 꿈은**/ 어떤 강한 세력의 압력에 밀려 사업기반을 잃게 된다.

◇ **교통사고가 나서 죽거나 다친 것을 본 꿈은**/ 자기와 밀접한 관계에 있는 사람에게 평범 이상의 일이 생기게 된다.

◇ **차 앞이 밖으로 향해 있는 꿈은**/ 자기의 일이 계획성 있게 조속히 잘 추진된다.

◇ **탱크를 부수고 사람을 죽인 꿈은**/ 어떤 세력을 잡아서 자기 능력을 마음껏 행사하거나 과시하게 된다.

◇ **트럭에 이사짐을 싣는 것을 본 꿈은**/ 어떤 기관에서 많은 일을 부탁하거나 사업을 새롭게 변경할 생각을 갖게 된다.

◇ **버스를 운전사와 자신만 타고 간 꿈은**/ 어떤 방해적인 여건, 시비의 대상이 없이 자기 권한을 마음대로 과시하게 된다.

◇ **차를 탄 채 자기 집으로 들어온 사람을 본 꿈은**/ 어떤 단체의 대표가 자기와 여러가지 일로 타협하게 된다.

◇ **기차가 철로 위를 마음껏 달린 것을 본 꿈은**/ 하고 있는 일이 순리대로 잘 진행되어 간다.

◇ **기차가 레일도 없는 산을 달리는 꿈은**/ 어떤 단체나 조직체가 자유롭게 운영되어 나가거나 세상에 과시할 일이 있다.

◇ **방에 버스가 들어와 있는 걸 본 꿈은**/ 어떤 기관의 추대를 받거

나 기관 내에서 단체 항의에 부딪혀 권세가 흔들린다.

◎ **애인과 함께 차를 타고 드라이브 한 꿈은** / 애인이 생기게 되며 혼담이나 결혼 생활이 원만하게 이루어진다.

◎ **버스의 차창 밖으로 일어난 사건을 본 꿈은** / 어떤 생활 도중에 생길 문제와 사건이거나 남에 관한 일에 관심을 갖게 된다.

◎ **차를 도중에서 탄 꿈은** / 직장에 취직되거나 어떤 단체에 가입하게 된다.

◎ **길을 닦거나 집터를 닦고 있는 중장비를 본 꿈은** / 어떤 기관에서 계몽 사업, 개척 사업 등에 종사할 일이 있게 된다.

◎ **사이렌을 크게 울리며 소방차가 달리는 것을 본 꿈은** / 데모 사건으로 군대, 경찰 등이 동원하여 진압할 일이 있다.

◎ **나무 사이로 검은 화물차가 달리거나 서 있는 것을 본 꿈은** / 방비가 소홀한 틈을 타서 범죄집단이 침범할 우려가 있다.

◎ **고장이나 사고로 인해서 차가 멈춘 꿈은** / 어떤 계획한 일이나 모임 등이 좌절된다.

◎ **강물에 차가 빠진 꿈은** / 어떤 일이나 소원의 결과가 큰 기업체에 흡수되거나 억압 받게 된다.

◎ **검은 택시가 방으로 들어와 있는 꿈은** / 미혼자가 결혼을 서두르고, 집안 사람 중에 누가 사망하게 된다.

◎ **기차가 폭파되거나 뒤집혀서 엎어진 꿈은** / 어떤 기관의 기능이 마비되거나 사업갱신이 있게 된다.

◎ **차에 송장을 싣고 달린 꿈은** / 오랫동안 재운이 트이게 된다.

◎ **큰 붓을 쥐고 지이프차를 타고 가다 내린 꿈은** / 어떤 잡지사에 작품을 연재하거나 문학작품을 출판하게 된다.

◎ **차만 쳐다보고 타지 않은 꿈은** / 청탁한 기관, 혼담자의 내부사정

등을 자세하게 알아 볼 일이 생긴다.

◇ **승용차 여러대 중 한대만 사람이 타고 나머지는 빈차로 있는 꿈은**/자기가 여러 회사에 부탁한 일이 한 회사에서만 성사된다.

◇ **기차의 불빛이 자신에게 비친 꿈은**/어떤 단체에서 자기 일을 빛내 주거나 기용할 일이 있다.

◇ **기차에 치어 죽은 꿈은**/정치적인 일, 작품 등이 어떤 기관이나 언론사나 출판사에 의해서 성사된다.

◇ **출발 시간을 대합실에서 무료하게 기다린 꿈은**/계획한 일이 어떤 기관이나 회사에 의해서 보류되거나 장시간 동안 기다리게 된다.

3) 보우트 · 배 · 군함 · 나룻배

◇ **물고기가 배 안으로 뛰어든 꿈은**/사람의 목숨을 구하거나 재물이 생기게 된다.

◇ **수많은 사람이 기선에서 내린 꿈은**/동등한 위치에 있는 사람이 취직하거나 집회장에서 퇴장하는 것을 보게 된다.

◇ **바람을 받는 돛단배가 잘 가는 꿈은**/하고 있는 일이 순조롭게 잘 이루어진다.

◇ **함포를 쏘아 적함을 침몰시킨 꿈은**/어떠한 어려움이 있어도 자신에게 주어진 일을 잘 극복해 나간다.

◇ **여성과 만족한 성교를 한 선장의 꿈은**/물고기를 배 안에 가득하게 잡거나 어떤 회사와 유리한 계약을 맺는다.

◇ **배가 뒤집혀서 공중을 날으는 꿈은**/어떤 단체에서 동맹파업을 일으키거나 시위를 하게 된다.

◇ **아무도 없는 배를 혼자 타고 떠내려간 꿈은**/어떤 일을 제대로 수습하지 못하고 병원에 갈 일이 있게 된다.

◇ **배 안에서 불이 난 꿈은**/사업이나 가정 형편이 점점 나아진다.

◇ **개펄에 엎어진 보우트를 바로 세워서 하천을 저어나간 꿈은**/포기했던 일을 새로운 각오로 다시 시작한다.

◇ **배 안에 물이 흥건히 고여있는 꿈은**/하고 있는 일이 점차 성과를 보이기 시작한다.

◇ **접대부를 손으로 더듬은 선원의 꿈은**/배의 기물이 파괴되거나 사소한 일로 다투게 된다.

◇ **음식을 배 안에서 먹은 꿈은**/다른 사람이 부탁한 일을 책임있게 해결해 준다.

◇ **수평선 너머로 배가 사라진 것을 본 꿈은**/자기가 시작한 일의 성과를 기다리고 있거나 외국에 갈 일을 나타내기도 한다.

◇ **배에서 목재를 내려 쌓는 것을 본 꿈은**/남을 통해서 많은 재물을 얻게 된다.

◇ **보우트를 저어서 가는 꿈은**/주어진 조건의 일을 잘 처리하게 된다.

◇ **배의 선수에 깃발이 꽂히고 자기 혼자만 탄 꿈은**/가까운 시일 안에 불행한 일이 있게 된다.

◇ **함장이 된 자신이 적함을 공격한 꿈은**/경쟁 회사나 정당 등에 제재를 가하게 된다.

◇ **선장실이나 갑판에서 회의하는 것을 본 꿈은**/새로운 단체를 조직하거나 어떤 세미나에 참석하게 된다.

◇ **짐을 만재한 화물선이 부두에 닿은 꿈은**/뜻밖에 사업 자금이 생

겨서 이득을 얻게 된다.

◇ 기적소리를 내며 기선이 항구에 들어온 것을 본 꿈은 / 어떤 일의 성사를 위해서 나름대로 좋은 아이디어를 개발한다.

◇ 기선이 기적을 울리며 항구를 떠난 꿈은 / 어떤 새로운 일을 계획하게 된다.

◇ 뱃길에 물이 말라버린 꿈은 / 하고 있는 일이 도중에 포기된다.

◇ 항구 도시 술집에서 술을 많이 마신 선원의 꿈은 / 남에게 꾸지람을 듣거나 사기당할 일이 있다.

◇ 부두가에서 자신이 아는 사람을 전송한 꿈은 / 출세를 하거나 작품을 선전할 일이 있다.

◇ 작은 배에서 큰 기선으로 가볍게 올라가는 사람을 본 꿈은 / 사람을 기다리게 되거나 병상에 눕게 된다.

◇ 보우트를 타고 벌판에 있는 하천에서 물고기를 많이 잡은 꿈은 / 어떤 잡지에 작품을 연재하여 후한 원고료를 받게 된다.

4) 오토바이 · 자전거 · 역마차

◇ 하늘 높이 그네를 탄 꿈은 / 자기의 소원을 충족시키고 세상에 과시할 만한 일이 있게 된다.

◇ 경사진 곳을 자전거를 타고 오르는 꿈은 / 어떤 일을 추진하는데 장해물이 많이 따라 어려움을 겪게 된다.

◇ 어떤 사람이 청과물을 손수레에 가득 실어다 놓은 꿈은 / 다른 회사의 도움을 받거나 과일 선물을 받게 된다.

◇ 병자나 노인이 가마를 타고 사라져 버린 꿈은 / 가정에 화근이 생

기게 된다.

◇ 마차를 타고 자신이 왕비나 왕자가 된 것처럼 호위를 받으며 거리를 달리는 꿈은 / 어떤 단체의 우두머리가 되거나 지위가 높아진다.

◇ 케이블카나 엘리베이터를 타고 오르내렸던 꿈은 / 어떤 단체에서 중개 역할을 하게 된다.

◇ 들것을 두사람이 마주 잡고 있는 꿈은 / 서로가 사소한 일로 의견 충돌이 있게 된다.

◇ 들것에 시체를 싣고 집 주변에서 서성거리는 모습을 본 꿈은 / 일의 성과를 얻으려면 상당한 시일을 필요로 하게 된다.

◇ 들것을 타고 가는 꿈은 / 협조자의 도움으로 자신의 지위가 높아진다.

◇ 처녀가 고목나무가지에서 그네를 타는데 노인도 다른 가지에서 그네를 타고 있는 꿈은 / 자신이 원했던 큰 기업체에서 자기 능력을 마음껏 발휘하게 된다.

◇ 가마문을 열어놓고 가는 꿈은 / 하고 있는 일이 순리대로 잘 풀린다.

5) 우 편

◇ 파란 도장이 봉투에 찍혀있는 꿈은 / 누군가가 등기 우편으로 돈을 붙여 온다.

◇ 소포를 받아 풀어보니 돌아가신 은사의 유물과 사진이 들어있는 꿈은 / 은사나 협조자가 저술한 서적을 선물 받는다.

◇ 우체국이나 우편함에 편지를 넣은 꿈은 / 어떤 기관에 부탁했던

일이 뜻대로 이루어진다.

◇ **편지봉투 안에 수표가 들어있는 꿈은**/주소 불명의 부전지가 붙어 반환되어 온다.

◇ **누런봉투의 편지를 받아 본 꿈은**/신문기사를 읽거나 청첩장을 받아 본다.

◇ **정신이상인 여자가 연애편지를 쓴 꿈은**/어떤 언론·출판사에서 작품 청탁을 해온다.

◇ **편지 발신인의 주소를 읽는데 점점 희미하게 보인 꿈은**/발신인의 주소가 바뀌게 된다.

◇ **우체부가 가방이 터지도록 편지를 담아 열려진 채로 걸어오는 걸 본 꿈은**/장기간 동안 많은 편지를 받게 된다.

◇ **연애편지를 받은 꿈은**/어떤 사업이나 작품 관계로 타기관에서 부탁해 올 일이 있다.

6) 전화·전신

◇ **수화기를 붙잡고 웃거나 짜증을 낸 꿈은**/상대방을 제압하거나 자기의 소원이 충족된다.

◇ **새로 라디오를 사온 꿈은**/어떤 기관에 청탁한 일이 순조롭게 이루어진다.

◇ **요란한 전화벨 소리를 들은 꿈은**/외부로부터 뉴스거리나 새로운 소식을 듣게 된다.

◇ **자기 집에 전선줄을 설치한 꿈은**/어떤 기관을 통해서 많은 협조를 구하게 된다.

◇ **키를 두드려 전문을 발신한 꿈은**／명령을 하달받거나 통신 등의 수단으로 누구에겐가 소식을 전할 일이 생긴다.

◇ **상대방을 전화로 불러낸 꿈은**／어떤 기관을 통해서 부탁할 일이 있다.

◇ **새로 구입한 텔레비전을 설치한 꿈은**／어떤 기관을 통해서 자기를 선전 하거나 가전 제품을 바꿔 놓는다.

◇ **상대방의 소리만 들린 꿈은**／상대방의 소식을 듣거나 명령에 복종할 일이 있다.

◇ **라디오를 통해 연설을 들은 꿈은**／웃사람에게 꾸지람을 듣게 된다.

◇ **가족이 모여 텔레비전을 본 꿈은**／웃사람의 명령에 복종하게 되고 어떤 기관에서 교육을 받을 일이 있다.

◇ **아버님 사망이란 전보를 받아 본 꿈은**／실제로 부고를 받거나 사업이나 소원이 제대로 이루어지지 않는다.

◇ **상대방과 대화할 수 있는 꿈은**／상대방과 대화 내용이 청탁이나 사건에 관한 일이다.

◇ **공중전화박스에 들어가 전화를 거는 꿈은**／제3자를 통해서 상대방에게 청탁할 일이 생긴다.

◇ **많은 새가 전선주에 앉았다가 날아간 꿈은**／어떤 언론 기관에서 여러 사람의 작품, 기사거리를 발표할 일이 있다.

◇ **높은 곳에 전화기가 매달려 있어 전화를 걸지 못한 꿈은**／남에게 부탁한 일이 뜻대로 이루어지지 않는다.

◇ **대화 내용이 불확실한 꿈은**／자기 혼자 일을 판단하게 된다.

제17장
스포츠·문화예술에 관한 꿈

1) 스포츠

◎ **공을 서로 주고받는 꿈은**/어떤 시비거리로 상대편 마음과 서로 엇갈린다.

◎ **경기장에 많은 관중이 모인 꿈은**/인원에 비례해서 자기 일은 그만큼 난관에 부딪히게 된다.

◎ **마라톤에서 꼴찌로 달리고 있는 꿈은**/하고 있는 일이 순리대로 풀리고 안전하다.

◎ **자기 나라의 선수가 국제경기에서 승리한 꿈은**/단체경기, 작품 응모, 사업 등에서 자기편 주장이 어떤 어려움도 뚫고 나가서 목적을 달성한다.

◎ **야구경기에서 자기편 선수가 홈런을 때린 꿈은**/어떤 일을 해도 장해물없이 잘 해결된다.

◎ **관중석에 관람자가 아무도 없는 꿈은**/어떤 복잡한 문제라도 어려움 없이 해결하고 스스로 판단한다.

◎ **자신이 찬 공이 높이 떠오르거나 경기장 밖으로 벗어난 꿈은**/자

기의 능력을 발휘해서 공로를 치하받거나 하는 일마다 성공을 가져온다.

◇ **경기장에서 도수 체조를 한 것을 본 꿈은** / 사업이나 학문적 발표 등에 잘 호응해 줄 사람들을 보게 된다.

◇ **공을 상대편 코트로 공격하지 못한 꿈은** / 패배 의식을 느끼고 일에 대한 불안감을 체험한다.

◇ **마라톤에서 일등으로 들어온 꿈은** / 사상, 사업, 진급 등에서 승리하고 명예를 얻는다.

◇ **자신의 구령에 맞춰 여러 사람이 체조를 하는 꿈은** / 자기의 지휘 능력이나 여러 사람이 협조를 잘 한다.

◇ **다른 사람이 넘겨준 릴레이바톤을 받아 힘껏 뛴 꿈은** / 어떤 단체나 개인 사업, 학문 등을 인수받아 잘 운영해 나간다.

◇ **우승을 해서 많은 사람 앞에서 상장을 받은 꿈은** / 사회적으로 손꼽힐만한 회사로 취직되거나 전근가게 된다.

◇ **검도나 펜싱을 시합한 꿈은** / 상대방과 열띤 논전을 벌일 일이 있게 된다.

◇ **운동경기에서 선두로 나선 꿈은** / 어떤 일에 실패하기 쉽고, 마음이 항상 불안하다.

◇ **외국팀과 축구시합을 하는데 우리 선수들이 승리한 것을 본 꿈은** / 자기가 내세운 주장이 어떤 어려움도 극복하고 목적을 달성한다.

◇ **메달, 우승컵, 상금, 우승기를 탄 꿈은** / 어떤 난관을 극복한 다음 소원이나 계획한 일이 성취된다.

◇ **자신이 아닌 남이 일등으로 달리는 꿈은** / 사업 성과를 많은 사람들 앞에서 발표한다.

2) 음악

◇ **반주에 맞춰 노래한 꿈은** / 어떤 단체의 주도권을 잡고 리이드해 나간다.

◇ **상쾌한 기분으로 산꼭대기에서 노래한 꿈은** / 자기를 남앞에 과시하거나 권세와 명예를 얻는다.

◇ **피리를 분 꿈은** / 상대방의 마음을 동요시키고 남을 부추기어 소문을 내게도 된다.

◇ **피아노를 힘있게 쳐서 멜로디가 울려퍼진 꿈은** / 자신이 소원했던 일이 충족되고 명성을 얻게 된다.

◇ **남이 신음소리를 내고 비명을 지르는 모습이 무척 애처롭게 생각된 꿈은** / 다른 사람으로 인해서 마음이 언짢아진다.

◇ **자신이 악기를 연주한 꿈은** / 어떤 일을 통해서 자신이 기대한 만큼의 목적을 달성한다.

◇ **낮은 언덕 밑에서 노래한 꿈은** / 부모님에게 어떤 화근이 생긴다.

◇ **칠판에 악기를 그리고 학생들에게 가르켜 준 꿈은** / 어떤 계획을 작성하거나 고용인에게 일을 분담시킨다.

◇ **연주를 하다가 중도에 악기줄이 끊어진 꿈은** / 하고 있는 일이 중도에 실패하거나 연인들이 이별을 하게 된다.

◇ **노랫소리가 계속해서 들려온 꿈은** / 어떤 소문이나 작품이 계속해서 널리 알려진다.

◇ **남이 노래하는데 어울려서 북을 치며 장단을 맞추는 꿈은** / 자기가 주장하는 것을 반항없이 순순히 따르거나 대변자 역할을 해준다.

◇ **합창단에 소속되어 노래를 부른 꿈은** / 공동성명, 단체적인 모임

등에 가담할 일이 생긴다.

◇ **남의 노랫소리를 듣는 꿈은** / 제3자가 자기에게 호소하거나 자신의 주장이 남에게 불쾌감을 안겨준다.

◇ **피아노의 건반을 두드리자 소리가 난 꿈은** / 완고한 성격을 가진 사람의 마음을 움직여서 반응이 있게 만든다.

◇ **자신이 나팔을 분 꿈은** / 상대방의 마음을 움직여 권세나 명성을 떨친다.

◇ **소리가 가냘프고 크지 못한 꿈은** / 남과 사소한 일로 말다툼을 하거나 어떤 소문을 듣는다.

◇ **혼자서 노래를 부르는 꿈은** / 자기의 주장을 강력히 내세워 남의 마음을 동요시킨다.

◇ **저명한 음악가나 인기 가수와 함께 데이트를 한 꿈은** / 인기있는 직업을 갖거나 인기 작품을 쓰고, 레코드판을 사다 인기 가수의 노래를 듣는다.

◇ **총성이나 짐승, 사람의 소리가 멀리서 들려온 꿈은** / 먼곳에서 소식이 오거나 하고있는 일이 쉽게 해결되지 않는다.

◇ **행진곡을 연주하며 행진하는 군악대를 많은 사람들과 함께 지켜본 꿈은** / 어떤 단체나 회사의 선전 광고물을 보거나 자기가 하고싶은 일을 잘 추진해 나간다.

◇ **음악소리에 도취되어 감격한 꿈은** / 정신적으로 남에게 도움을 받거나 선전광고에 매혹된다.

◇ **합창단의 합창을 듣는 꿈은** / 어떤 단체가 압력, 선전 등을 가해서 마음의 혼란과 동요를 가져 온다.

◇ **상대방이 흥겹게 춤추며 노래한 것을 본 꿈은** / 상대방이 지상을 통해서 자기 주장을 내세워 공박하고 시비할 일이 있다.

◇ **무당이 꽹과리를 치며 굿을 한 꿈은**/언론이나 출판사에서 대대적인 광고를 한다.

◇ **노래를 하는데 반주가 안맞거나 가사를 잊어 제대로 부르지 못한 꿈은**/어떤 청원이나 선전 등이 개인이나 단체에 의해서 승인되지 않는다.

◇ **대중 앞에서 노래를 부르는 꿈은**/자기의 사상을 피력하거나 선전, 호소를 하여 많은 사람들을 따르게 할 일이 있다.

◇ **천지가 진동하면서 울려 퍼지는 소리를 들은 꿈은**/사회적으로 지위가 높아지고 소문에 시달리게 된다.

◇ **악기를 연주하는 것을 남이 본 꿈은**/애정 표현을 하거나 자기 선전, 종교적인 전도를 상대방이 해온다.

◇ **자신이 살려달라고 비명을 지르고 고함을 친 꿈은**/자기의 신변이 남을 통해서 전달되고 고귀한 물건을 보고 감동한다.

◇ **현악기를 가지고 있는 꿈은**/애인을 만나거나 협조자의 도움을 받는다.

3) 미술 · 사진

◇ **그림을 그리는데 자기 뜻대로 그려지지 않는 꿈은**/계획이나 소원이 자기 뜻대로 이루어지지 않는다.

◇ **그림을 다른 사람이 보내온 꿈은**/서적, 청첩장, 편지, 경고장 등을 받게 된다.

◇ **풍경화나 사생활을 그린 꿈은**/어떤 사람의 사적인 일을 캐묻거나 자기 소원, 사업운, 혼담 등을 결정할 일이 있다.

◎ **사진기를 새것으로 구입한 꿈은**/동업자의 도움을 받거나 연인을 만나게 된다.

◎ **사진첩을 펼쳐본 꿈은**/남의 사생활을 조사하거나 고전을 읽게 된다.

◎ **사진을 찍으려 했는데 필름이 없어서 찍지 못한 꿈은**/일의 성취가 불가능해 진다.

◎ **필기도구가 없어서 쩔쩔맨 꿈은**/권력자의 지시대로 움직여 준다.

◎ **나체화를 보고 성충동을 일으킨 꿈은**/어떤 사람의 신상 문제를 보게 되거나 남의 작품을 보고 마음이 불쾌해진다.

◎ **남의 그림을 감상한 꿈은**/남의 청원, 연애편지, 신용장 등을 읽거나 검토할 일이 있다.

◎ **고적이나 풍경을 사진 찍는 꿈은**/어떤 사건이나 업적을 기록에 의해서 남겨둔다.

◎ **상상화를 그리는 꿈은**/현재나 미래에 전혀 예기치 못한 일을 묘사한다.

◎ **여러 가지 그림이 담긴 사진첩을 넘겨본 꿈은**/어떤 사람을 추적하거나 도서목록, 이력서, 프로그램 등을 보게 된다.

◎ **추상화를 그린 꿈은**/어떤 계획을 추진해 나간다.

◎ **풍경화 한 폭을 감상한 꿈은**/자기 소원이나 계획한 일을 그 한 폭의 그림 내용에서 알 수 있다.

◎ **인형이 말을 한 꿈은**/자기의 사악한 마음을 올바르게 고쳐 사람의 도리를 행한다.

◎ **자신이 포즈를 취하고 있는데 사진을 찍은 꿈은**/남이 자기의 신상 문제를 놓고 옳고 그름을 따진다.

◈ **그림을 새로 구입한 꿈은**/어떤 단체에서 자신의 성실함을 많은 사람들이 인정해준다.

◈ **나체 모델을 놓고 화가가 그림 그리는 것을 본 꿈은**/상대방의 심리 변화나 신상 문제에 관해서 알고 싶어 한다.

◈ **애인이 다른 사람과 사진찍는 걸 보고 운 꿈은**/상대방이 하고 있는 일이 순리대로 잘 풀려 나간다.

◈ **결혼 사진을 찍은 꿈은**/어떤 단체의 공공이익을 위하여 서로가 화합한다.

◈ **자신이 카메라를 들고 다른 사람의 사진을 찍어준 꿈은**/다른 사람의 행동거지를 유심히 보면서 일일이 체크한다.

◈ **자신이 집안 사람들과 함께 사진을 찍은 꿈은**/사업이나 계약 등의 일을 문서화하거나 남에게 도움을 준다.

4) 오락

◈ **방안에 화투가 여기저기에 흩어져 있는 꿈은**/어떤 일을 마무리 짓지 못하고 심적 갈등을 겪는다.

◈ **낚시도구를 얻은 꿈은**/사람을 판단하는 방법과 일에 대한 방도를 찾게 된다.

◈ **화투를 치려다가 그냥 옆으로 밀어 놓는 꿈은**/남이 청원한 서류를 뒤로 미루어 둔다.

◈ **동갑 나이의 사람과 장기를 둔 꿈은**/자기와 동격이거나 상대가 될 만한 사람과 사업상 승부를 가린다.

◈ **노름도구를 사용해서 돈을 잃거나 딴 꿈은**/하고있는 일의 흥망

성쇠를 가름하게 된다.

◇ **등산장비를 짊머지고 산을 정복한 꿈은** / 사회적 지위를 얻고 자기의 소원이 뜻대로 이루어진다.

◇ **상대방과 함께 화투를 친 꿈은** / 어떤 단체에서 시비가 생겨 옥신각신할 일이 있다.

◇ **자신이 술래가 되어 숨어있는 사람을 찾아다닌 꿈은** / 시험이나 잊어버린 일로 심적 고통을 겪게 된다.

◇ **보물을 찾기 위해서 흙을 헤치자 해골이 나온 꿈은** / 자신의 성실함을 인정받거나 재물, 증서 등을 얻게 된다.

◇ **세계적으로 유명한 산상에서 행동을 한 꿈은** / 어떤 유명한 단체, 기업에서 자기의 능력을 마음껏 과시한다.

◇ **장기를 두는데 옆에서 사람이 상관한 꿈은** / 남의 일을 옆에서 참견하거나 방해를 한다.

◇ **바둑과 장기를 두는 것을 본 꿈은** / 어떤 세력다툼, 국제 정세의 변화 등을 한눈에 보게 된다.

◇ **추첨기를 돌려서 추첨표를 얻은 꿈은** / 어떤 기관에 청원을 해서 자기 뜻대로 이루어지도록 부탁한다.

◇ **높고 험한 산을 정복한 꿈은** / 자신이 하고 있는 일이 사회적으로 인정을 받는다.

◇ **흰돌을 쥔 자신이 상대편의 흑돌을 하나씩 따내며 바둑을 둔 꿈은** / 처음부터 자기에게 유리한 쪽으로 치우쳐 있었으므로 쉽게 상대방을 공략할 수 있다.

◇ **시골 노인들이 한꺼번에 몰려와 화투를 치자고 한 꿈은** / 어떤 기관에 청탁한 일이 쉽게 해결되지 않는다.

◇ **어린아이와 장기를 두면서 아이의 연령을 헤아린 꿈은** / 벅차고

고통스런 일거리와 남의 간섭을 받을 일이 있다.

◇ **국수급에 속하는 윗사람과 바둑을 두어 이긴 꿈은**/최고의 세력, 권리 등을 확보할 수 있다.

◇ **산에서 사람이 소리지르며 손을 흔들고 하늘로 올라가는 걸 본 꿈은**/높고 험한 산에서 조난당한 기사거리를 읽게 된다.

◇ **화투장을 늘어놓고 오관을 떼어본 꿈은**/소원 성취나 계획한 일에 대한 예지와 판단을 위해 심사숙고 하게 된다.

◇ **기계를 조작해서 노름을 한 꿈은**/어떤 기관을 통해서 행운을 얻게 된다.

5) 영화 · 연극

◇ **유명한 배우가 입고 있던 옷을 받아 입은 꿈은**/유명한 사람의 지도를 받거나 협조를 얻어 비슷한 일을 하게 된다.

◇ **줄타기를 하다 떨어져 죽은 것을 본 꿈은**/어렵고 힘든 일이 어떤 기관을 통해서 이루어진다.

◇ **유명한 탈렌트와 함께 데이트 한 꿈은**/인기인이 되거나 자기를 과시할 일이 있다.

◇ **똑같은 화면이 영화 스크린에 여러번 비친 꿈은**/신문, 잡지에 같은 내용 또는 비슷한 내용의 기사가 실리게 된다.

◇ **야외촬영을 하는데 많은 사람이 몰려 있는 꿈은**/사업상 여러가지 보완 또는 고칠 일이 많거나 관심을 갖는 사람이 많다.

◇ **서커스를 구경한 꿈은**/선전 광고, 잡지의 외설물 등을 보게 되고 사업이 위태롭게 보이지만 잘 운영해 나간다.

제18장
감정표현에 관한 꿈

1) 감정표현

◇ **상대방의 언행으로 불쾌해진 꿈은**/상대방으로 인해서 불쾌한 일을 당하거나 불만이 생긴다.

◇ **상대방을 위로한 꿈은**/남에게 지배당하거나 어떤 일로 근심 걱정할 일이 생긴다.

◇ **정체 불명의 웃음소리를 들은 꿈은**/여러 사람에게 비웃음을 당하거나 병으로 시달리게 된다.

◇ **이성에게 욕정이 생기지 않는 꿈은**/어떤 사람에 대해서 무관심하거나 당연한 일로 생각한다.

◇ **배가 고프다고 생각한 꿈은**/무엇인지 항상 허전하고 부족한 느낌을 갖는다.

◇ **물고기를 잡아야겠다고 생각한 꿈은**/어떤 재물을 소유하기 위해서 일을 계획한다.

◇ **일에 대해 고통스럽게 생각한 꿈은**/하는 일마다 장애물이 생겨 난관에 부딪힌다.

◇ 무엇을 보고 황홀한 느낌을 갖는 꿈은 / 이상적인 일로 감격하거나 자기의 욕구를 충족시킨다.

◇ 상대방이 무표정해 보인 꿈은 / 상대방으로 인해서 조금도 근심 걱정할 필요가 없게 된다.

◇ 신세타령하며 슬퍼한 꿈은 / 현실에 불만을 갖게 된다.

◇ 상대방과 서로 마주보고 운 꿈은 / 사소한 일로 시비를 벌이다가 냉정을 되찾게 된다.

◇ 안면이 없는 여자가 흐느껴 운 꿈은 / 가정이나 자기 신변에 좋지 않은 일이 생긴다.

◇ 상대방이 명랑하고 활발해 보인 꿈은 / 상대방과 서로 마음이 통해서 교섭이 잘 이루어진다.

◇ 상대방이 추하다고 느낀 꿈은 / 마음에 들지 않는 사람을 만나거나 물건을 갖게 된다.

◇ 천지가 전체적으로 흐리게 보인 꿈은 / 근심 걱정할 일이 생기고 불쾌한 일을 겪게 된다.

◇ 모든 사물이 아름답다고 느낀 꿈은 / 하는 일이 만족스럽고 감동적인 일을 보게 된다.

◇ 상대방을 속여야겠다고 생각한 꿈은 / 진실이 아니거나 계교적인 일로 상대방을 유혹하게 된다.

◇ 모든 사물이 만족스럽다고 느낀 꿈은 / 자기의 소원을 충족시키고 현실에 만족한다.

◇ 어떤 경쟁에서 승리한 꿈은 / 어떤 일을 만족스럽게 성취시킨다.

◇ 거짓이라고 인정된 꿈은 / 위선적이고 왜곡된 일을 밝혀내게 된다.

◇ 성스럽거나 존엄하다고 생각된 꿈은 / 덕망있는 사람과 관계하거

나 유익한 책을 읽게 된다.

◇ **비위가 상해서 마음이 좋지 않은 꿈은** / 상대방에게 불쾌한 마음이 생겨 다투게 된다.

◇ **동물을 보고 공포감이 생긴 꿈은** / 위험한 일에 직면하거나 감동적인 일을 겪게 된다.

◇ **마음이 우울해진 꿈은** / 답답하고 근심 걱정할 일이 생긴다.

◇ **상대방과 마주보고 서로 활짝 웃는 꿈은** / 상대방과 의사소통이 서로 잘 된다.

◇ **오물 같은 것이 옷에 묻어 불쾌해진 꿈은** / 남에게 창피를 당하거나 근심 걱정으로 항상 불안해 한다.

◇ **상대방을 미워한 꿈은** / 상대방을 못마땅하게 생각하거나 불쾌한 마음이 생긴다.

◇ **상대방이 미워서 적의를 가진 꿈은** / 어떤 일거리에 불만을 가지거나 어떤 사람에게 애착심이 생긴다.

◇ **신령적인 존재를 두렵게 생각한 꿈은** / 신령적인 일로 감동하거나 불안해진다.

◇ **육체적인 통증을 느낀 꿈은** / 어떤 일을 시작하는데 여러가지로 많은 어려움을 겪게 된다.

◇ **감사하는 마음이 생긴 꿈은** / 자기가 소원한 일이 만족스럽게 해결된다.

◇ **상대방이 온순하고 착하게 보인 꿈은** / 어떤 사람이나 일거리가 자기 마음에 들지 않는다.

◇ **쫓기면서 붙잡힐까 불안에 떤 꿈은** / 하는 일마다 실패하여 마음이 항상 불안하고 고통스럽다.

◇ **사죄해 용서받은 꿈은** / 자신의 성실함을 많은 사람들이 인정해 준다.

◇ **성경 구절이나 격언을 읽은 꿈은** / 남에게 진실된 말이나 가르침을 받고 참된 일을 행한다.

◇ **상대방을 천시하거나 학대한 꿈은** / 상대방에게 불쾌한 감정을 노골적으로 표시한다.

◇ **상대방을 불쌍하게 여긴 꿈은** / 어떤 일이 자신에게 불리하고 피해를 입는다.

◇ **승차하고 있는 것이 평안하다고 느껴진 꿈은** / 하는 일이 안정되고 평안하며 소원이 성취된다.

◇ **시체 앞에서 다른 사람과 함께 운 꿈은** / 유산이나 사업 성과를 놓고 서로 다투게 된다.

◇ **상대방이 노래 부르거나 흐느껴 운 꿈은** / 제3자가 자기를 희롱하거나 해를 끼친다.

◇ **청중이 시끄럽게 웃는 꿈은** / 여러 사람의 비웃음을 당하게 된다.

◇ **자신이 대성통곡을 하면서 우는 꿈은** / 기쁘고 만족스러운 일이 있게 된다.

◇ **어두운 곳에서 무엇을 찾아 헤맨 꿈은** / 탐구한 것이 부진하거나 불안한 일에 직면하게 된다.

◇ **불의를 보고 비위가 상한 꿈은** / 남과 사소한 일로 다투게 된다.

◇ **상대방이 못생겨서 슬퍼하는 꿈은** / 상대방의 대접에 불만을 갖게 된다.

◇ **상대방을 보고 감탄한 꿈은** / 이상적인 일로 감격하거나 욕구 충족을 가져 온다.

◇ **상대방에 대해 공포감을 갖은 꿈은**/상대방의 일로 위험에 직면하거나 불안해진다.

◇ **갈증을 해소시키지 못한 꿈은**/자기가 소원한 일이 뜻대로 이루어지지 않는다.

◇ **무엇에 불만이 생긴 꿈은**/마음이 불안하거나 고통을 느낀다.

◇ **분노를 폭발시켜 노성을 발한 꿈은**/상대방을 지배하고 자기의 소원을 성취시킨다.

◇ **무엇을 보고 신비스럽게 생각한 꿈은**/사회적인 톱 뉴스나 해명되지 않은 일에 깊은 관심을 갖게 된다.

◇ **남의 일을 부러워한 꿈은**/상대방에게 불만을 느끼고 패배감을 맛보게 된다.

◇ **상대방을 무관심하게 바라본 꿈은**/마땅히 이루어질 일이나 직접적으로 관계가 없는 일을 나타낸다.

◇ **이성이 애정을 표현해온 꿈은**/어떤 사람에게 유혹당하거나 일에 애착이 생긴다.

◇ **울음을 그쳤다가 다시 울기 시작한 꿈은**/울음의 횟수만큼 기쁜 일이 계속 생긴다.

◇ **대성통곡한 꿈은**/자기가 소원한 일이 성사되고 자기 신변에 관한 일이 여러 사람에게 전달된다.

◇ **상대방이 통쾌하게 웃는 것을 본 꿈은**/교활한 자기 꾀에 말려들거나 병마에 시달리게 된다.

◇ **상대방이 냉정한 태도를 취한 꿈은**/상대방이 마음을 편안하게 해 준다.

◇ **상대방이 크게 화를 낸 꿈은**/상대방에게 압도당하거나 책망을

들게 된다.

◇ **환자가 건강을 회복한 꿈은** / 정신적인 일의 건전함과 자신만만한 태도를 나타낸다.

◇ **악한 일을 행하려는 꿈은** / 어떤 일을 강제적으로 성사시킨다.

◇ **남을 시기하고 질투한 꿈은** / 패배 의식을 갖거나 현실에 불만을 느낀다.

◇ **악행을 하면서 양심에 가책을 받은 꿈은** / 상대방에게 불만을 갖게 되고 하는 일마다 제대로 이루어지지 않는다.

◇ **상대방이 기뻐하는 것을 본 꿈은** / 패배감을 맛보거나 상대방에게 불쾌한 마음을 갖는다.

◇ **청중과 함께 웃는 꿈은** / 상대방과 사소한 일로 시비가 생겨 다투게 된다.

◇ **상대방이 서로 빙그레 웃는 꿈은** / 상대방과 다툴 일이 있거나 냉대를 받게 된다.

◇ **이성에 대해 욕정이 생긴 꿈은** / 상대방에게 불만을 느끼고 하고 있는 일이 중간에 포기된다.

◇ **불결해서 거북한 느낌이 든 꿈은** / 남에게 창피를 당하게 되고 불쾌한 일을 체험한다.

◇ **자신이 소원하고 희망한 꿈은** / 어떤 일을 추진해 나가거나 욕심이 생긴다.

◇ **고통 끝에 평안한 마음을 느낀 꿈은** / 어떤 일을 어려운 고비를 넘기고 성사시킨다.

2) 물체의 품질 · 가치

◇ **작은 일이 크게 확대된 꿈은**/자기의 소원을 충족시키고 실제로 일이 크게 성사된다.

◇ **물건이 엉성해 보인 꿈은**/어떤 일이 충실하지 못하거나 상대방의 믿음성이 부족하다고 느껴진다.

◇ **소유물이나 보이는 것이 싱싱한 꿈은**/건전한 사고 방식을 갖고 있고 무슨 일이든 완벽하게 추진해 나간다.

◇ **수량이 적은 것을 소유한 꿈은**/그 수량만큼 부족하고 불만을 갖게 된다.

◇ **물건을 새 것을 얻거나 가진 꿈은**/자기 주변에 있는 것이 새롭게 바뀌거나 개선할 일이 생긴다.

◇ **공간이 줄어든 꿈은**/자기가 기대하고 있었던 일이 뜻대로 이루어지지 않아 실망하게 된다.

◇ **짜임새가 엉성하게 느껴진 꿈은**/얽혀져 있는 것이 부적당하고 소홀하게 느껴진다.

◇ **수량이 많은 것을 소유한 꿈은**/그 수량만큼 풍부하고 만족한 일이 생긴다.

◇ **상대방이 늙어 보인 꿈은**/오래된 일을 접하거나 지식이 많은 사람을 알게 된다.

◇ **부패하고 상한 물건을 얻은 꿈은**/남에게 창피를 당하거나 마음이 항상 불안하다.

◇ **물건이 빈약하게 느껴진 꿈은**/마음이 너그럽지 못한 사람을 만나게 된다.

◇ **연하고 부드러운 물건을 본 꿈은** / 작품이 미완성되거나 정서적으로 마음이 풍부하다.

◇ **행위나 전망에서 끝이 없다고 생각된 꿈은** / 허망하고 비현실적인 일을 접하게 된다.

◇ **헌 것을 소유한 꿈은** / 과거에 지니고 있던 물건을 발견하게 된다.

제19장
깃발 · 무기 · 전쟁에 관한 꿈

1) 깃발

◇ 부대가 군기를 앞세우고 행진한 것을 본 꿈은 / 자기 신변에 관한 일에 대해서 많은 사람들이 관심을 갖고 있다.

◇ 군기를 적군에게 빼앗기거나 접어둔 꿈은 / 하는 일이 성사되지 않고 어떤 단체에서는 협동이 안 된다.

◇ 유엔기와 태극기가 동시에 꽂혀진 것을 본 꿈은 / 어떤 입학 시험, 취직, 고시 시험 등에서 합격하게 된다.

2) 무기

◇ 기관총을 쏘아 적을 무참히 사살한 꿈은 / 어떤 기관을 통해 자기의 소원을 충족시킨다.

◇ 창을 던져 상대방을 겨냥한 꿈은 / 어떤 일을 서로 협동하여 성사시키게 된다.

◇ 창으로 상대방을 꿰뚫은 채 뽑지 않은 꿈은 / 어떤 일을 성취시키

는 데 많은 어려움이 따른다.

◇ **은장도를 모르는 사람이 처녀에게 준 꿈은**/미혼녀는 좋은 사람과 인연을 맺게 된다.

◇ **군도를 얻은 꿈은**/자신의 지위가 높아지고 여러 방면으로 몰두하게 된다.

◇ **총을 쏘아 적을 사살한 꿈은**/ 여러 방면으로 자신이 소원한 일이 이루어진다.

◇ **상대방이 쏜 총알이 몸에 박힌 꿈은**/미혼자는 혼담이 오고가고 사업상 계약이 이루어진다.

◇ **상대방이 기관총을 겨누고 있는 곳을 피해 간 꿈은**/어려운 난관을 극복하거나 아니면 자기 일이 어떤 기관에 의해서 성사되지 않는다.

◇ **상대방과 칼 싸움을 한 꿈은**/자기와 대등한 능력을 가진 사람과 경쟁할 일이 있다.

◇ **의사가 자기를 수술한 꿈은**/자기가 하고 있는 일을 남에게 평가받게 된다.

◇ **처녀가 단도로 자기의 가슴을 찔렀다가 뽑으면서 깨어난 꿈은**/병으로 인해 수술을 받게 된다.

◇ **활을 쏘아 표적을 맞춘 꿈은**/자기가 원하던 일이 뜻대로 이루어진다.

◇ **칼로 상대방을 벤 꿈은**/어떤 일을 성사시키려고 많은 사람들과 접촉하게 된다.

◇ **칼로 물건을 자른 꿈은**/어떤 일을 하는데 공적인 일이나 사적인 일을 정확히 구분해 놓는다.

◇ **공중에서 총을 자기에게 겨냥하고 있는 꿈은**/데모가 일어나거나

어떤 단체에서 직책을 맡게 된다.

◇ **상대방이 총구를 자기에게 겨냥하고 있어 무서워 떨고 있는 꿈은** / 질병, 불안, 고통 등으로 하는 일마다 풀리지가 않는다.

3) 전쟁

◇ **전쟁이 격렬해진 꿈은** / 격렬해질수록 하는 일마다 복잡하고 난관에 부딪히게 된다.

◇ **전쟁이 났다고 군대가 이동한 것을 본 꿈은** / 자기가 계획한 일을 뜻대로 추진해 나간다.

◇ **포로가 되거나 폭사당한 꿈은** / 어떤 사람에게 부탁한 일이 소원대로 이루어진다.

◇ **적과 싸워서 전사한 꿈은** / 어려운 난관을 극복한 뒤에 성과를 보게 된다.

◇ **자기가 선전포고문을 낭독한 꿈은** / 어떤 일을 추진하기 위해 계획한 것을 남에게 보여준다.

◇ **간첩을 신고한 꿈은** / 사업상 여러 군데의 거래처를 확보하기 위해서 많은 사람들과 접하게 된다.

◇ **전쟁에서 패배한 꿈은** / 매사에 하는 일마다 실패를 거듭한다.

◇ **전쟁이 나서 피난간 꿈은** / 남에게 부탁한 일이나 집안 사정으로 일이 제대로 풀리지 는다.

제 20 장
문서 · 책 · 문자 · 숫자에 관한 꿈

1) 문서

◇ **문서를 찢거나 태워버린 꿈은** / 자기의 신분, 권리 등이 박탈당하고 어떤 사건을 처리하게 된다.

◇ **문서를 태워 재가 남거나 꾸기거나 찢어서 간직해 둔 꿈은** / 사건 수습이 안되고 어떤 증거물을 남기게 된다.

◇ **경비원에게 여행증을 제시하고 통과한 꿈은** / 하는 일을 재검토해 보고 병원에서 진찰 받을 일이 생긴다.

◇ **계약서를 작성해서 주고받는 꿈은** / 어떤 계약이 성립되어 일이 진행된다.

◇ **문서를 얻은 꿈은** / 어떤 권리나 사명이 자기에게 주어진다.

◇ **영장에 빨간 줄이 그어져 있는 것을 받아 본 꿈은** / 어떤 작품 당선 통지서가 아니면 남의 사망 소식을 듣게 된다.

◇ **상대방에게 각서나 시말서를 받은 꿈은** / 상대방에게 명령을 하거나 신변 조사할 일이 생긴다.

◇ **행정 관청에 부동산을 등기한 꿈은** / 큰 권리가 자기에게 주어지

고 그 일을 많은 사람들에게 공개할 일이 있다.

◇ **공공단체에서 어떤 통지서가 온 꿈은** / 어떤 통지서를 받거나 신문 · 잡지 등에서 정보를 입수하게 된다.

◇ **병원에서 진찰권을 받은 꿈은** / 어떤 사업을 착수할 일이 있거나 병원에 입원하거나 치료할 일이 생긴다.

◇ **신령적인 존재가 문서를 가져다 준 꿈은** / 이것이 태몽이라면 학문 연구를 하는 후계자를 얻게 된다.

2) 책

◇ **상대방이 읽는 책을 어깨너머로 본 꿈은** / 상대방의 마음을 살피거나 그 사람의 비밀을 알려고 한다.

◇ **책을 얻어서 읽어 본 꿈은** / 학문 연구에 관련된 직업을 얻거나 책을 구입하게 된다.

◇ **상대방에게 책을 빌려온 꿈은** / 남의 명령에 따라 행동하게 된다.

◇ **상대방으로 하여금 책에 씌어진 문구를 읽게 한 꿈은** / 상대방과의 의견이 일치되고 그의 뜻에 따르게 된다.

◇ **가까운 사람에게 공책을 빌려온 꿈은** / 친구간에 우정이 두터워지고 상대방과 약속을 하게 된다.

◇ **책을 얻거나 많은 책을 가진 꿈은** / 이것이 태몽이라면 학문 연구에 종사하는 후계자를 얻게 된다.

◇ **책을 찢거나 던져버린 꿈은** / 상대방에게 반항하거나 학대를 한다.

3) 문자

◇ **남의 성명이 새겨진 인장을 얻은 꿈은**/협조자를 만나거나 권리를 확보하게 된다.

◇ **자기의 인장을 새로 만든 꿈은**/새로운 신분이나 권리가 자기에게 주어진다.

◇ **상관에게 결재 도장을 받은 꿈은**/남의 도움으로 소원이 충족되고 사업 성과를 얻게 된다.

◇ **계산서에 많은 사람의 도장이 찍혀있는 것을 본 꿈은**/일을 추진하는데 많은 사람들의 도움을 받는다.

◇ **자기의 흰옷에 누가 붓글씨를 쓴 꿈은**/자기의 신분이 새로와지거나 간판을 새로 바꾸게 된다.

◇ **자기의 명함을 남에게 건네준 꿈은**/어떤 권리나 책임을 남에게 넘겨준다.

◇ **땅 속에서 대통령 도장을 캐낸 꿈은**/사업을 추진해 나가거나 자기에게 권리가 주어진다.

◇ **자기가 남에게 도장을 찍어준 꿈은**/일을 끝마치거나 남의 일을 대신해 주게 된다.

◇ **새로 만든 명함을 가진 꿈은**/새로운 신분이나 권리가 주어진다.

◇ **공공단체에 자기 성명이 기재된 꿈은**/어떤 회사에 취직을 하거나 전근가게 된다.

4) 숫자

◇ **다른 사람이 주판을 들고 방으로 들어온 꿈은** / 자기 사업에 협조하거나 금전 관계로 자기를 찾아오는 사람이 있다.

◇ **공중이나 머릿속에 어떤 숫자가 나타난 꿈은** / 그 숫자와 관계되는 일이나 사회적인 체험을 얻게 된다.

◇ **계산을 하는 꿈은** / 어떤 사업을 계획하고 있거나 사람의 심리를 파악하려고 한다.

제21장
광물 · 보석에 관한 꿈

1) 돌

◇ 상대방을 돌로 때린 꿈은 / 상대방에게 바른 말을 해서 깨우쳐 주거나 자기 주장을 강력히 내세운다.

◇ 암벽을 기어오르기가 무척 고통스러운 꿈은 / 어떤 일을 성사시키는데 많은 어려움이 뒤따른다.

◇ 돌덩이가 변해 큰 바위가 된 꿈은 / 작은 사업이 점차 확대되어 큰 사업으로 번창된다.

◇ 벽돌을 많이 생산하거나 집으로 들여온 꿈은 / 어떤 학문적인 자료를 얻거나 훌륭한 인재를 모으게 된다.

◇ 지팡이나 주먹으로 바위를 쳐서 물을 얻어 마실 수 있는 꿈은 / 좋은 아이디어로 세상 사람들을 감동시키고 많은 재물을 얻게 된다.

◇ 돌로 쳐서 짐승을 죽인 꿈은 / 여러 방면으로 권력을 행사하여 목적을 달성시킨다.

◇ 거리에 자갈을 깔아 놓은 꿈은 / 어떤 교리를 설파하거나 여러 사람에게 일에 대한 방법과 도리를 알려 준다.

◇ **큰 바위를 자갈로 만든 꿈은**/어떤 일을 서로 분담하여 작업을 시작하게 된다.

◇ **상대방에게 돌로 얻어 맞은 꿈은**/쌍방간에 서로 의견 대립이 있어 다투게 된다.

◇ **주먹으로 바위를 쳐서 산산조각을 낸 꿈은**/어떤 단체에서 자기의 주장을 내세워 서로 화합할 수 있게 만든다.

◇ **돌로 울타리를 쌓은 꿈은**/다른 사람의 협조를 얻어 신분이나 사업이 새로와진다.

◇ **돌탑을 바라본 꿈은**/학문 연구에 깊이 몰두하거나 남에게 소청할 일이 생긴다.

◇ **돌옷에 꽃이 핀 꿈은**/하고 있는 사업이 점차 활발하게 움직여 번창해 나간다.

◇ **반석위에 앉거나 서있는 꿈은**/어떤 단체를 이끌어 나갈 지도자가 되거나 하는 일마다 순리대로 잘 풀려나간다.

◇ **돌를 던져 호수에 파문이 일게 한 꿈은**/어떤 단체에서 자기의 사상을 강력히 주장하여 사람의 마음을 움직이게 한다.

◇ **바위가 터져 폭포가 흐른 꿈은**/진리적인 교화를 크게 베풀거나 많은 재물을 얻게 된다.

◇ **로우프나 징을 사용해서 바위를 오른 꿈은**/일을 시작하는데 협조자의 도움을 받아 소원을 달성하게 된다.

2) 모래

◇ **모래무더기나 모래 언덕을 쌓아 올린 꿈은**/학문 연구에 깊이 몰

두하거나 자기 발전을 위해서 많은 서적을 읽는다.

◇ **모래 사장에 자기의 발자국을 남긴 꿈은** / 어떤 기관에 자기의 경력이나 행적을 남기게 된다.

◇ **강변 모래밭에서 여러 가지 물건을 캐낸 꿈은** / 어떤 사업 기반에서 여러 방면으로 자원을 얻거나 권리가 주어진다.

◇ **모래산 중간이 허물어지고 폭포같은 물이 터져 흐른 꿈은** / 어떤 입학시험이나 고시시험에 합격하게 된다.

◇ **모래밭에 씨앗을 뿌린 꿈은** / 자기 분수에 맞지 않은 사업으로 시작하여 항상 마음이 불안하다.

◇ **사막 중간에서 길을 찾아 헤맨 꿈은** / 어떤 단체에서 자기의 실력을 제대로 발휘하지 못한다.

3) 흙

◇ **남이 파 놓은 함정에 빠진 꿈은** / 하는 일마다 제대로 풀리지 않고 몸에 병이 생기게 된다.

◇ **몸이나 옷에 흙이 묻은 꿈은** / 질병에 걸리거나 다른 사람 때문에 자신이 누명을 쓰게 된다.

◇ **흙으로 정원을 돋우는 꿈은** / 하는 일이 점차 기반을 튼튼히 잡아 날로 번창된다.

◇ **흙벽돌을 많이 만들거나 쌓아 놓은 꿈은** / 많은 지식을 얻거나 사업 자금이 생긴다.

◇ **진흙이나 수렁에 빠진 꿈은** / 하는 일마다 제대로 풀리지 않아 곤경에 빠지게 된다.

◇ **논밭의 흙이 검게 보인 꿈은** / 사업상 자기에게 유리한 조건을 확보하게 된다.

◇ **몸이 저절로 땅 속으로 빠져들어간 꿈은** / 토지를 많이 확보하거나 어떤 단체에서 세력권을 쥐게 된다.

◇ **자기 주변에서 흙먼지가 뿌옇게 일어난 꿈은** / 사회적으로 불안하고 유행병이 번진다.

◇ **누런 흙탕물이 흐르는 것을 본 꿈은** / 진리가 담긴 서적을 읽거나 특수 사업체와 관련을 맺는다.

◇ **흙을 파서 금은보화나 고고학적 유물을 얻어 가진 꿈은** / 어떤 기관에서 연구나 사업 성과를 얻고 권리나 횡재가 생기게 된다.

◇ **흙을 빚어 여러가지 형태를 만든 꿈은** / 어려운 고비를 극복하고 창작물이나 사업 성과를 얻게 된다.

◇ **붉은 흙산이 갑자기 생긴 것을 본 꿈은** / 사회적으로나 국가 방위상 불안한 일이 생긴다.

◇ **함정을 파고 위장한 꿈은** / 어떤 단체에서 계교를 부려 사람을 구하거나 신분을 몰락시킨다.

◇ **흙을 파서 집으로 가져온 꿈은** / 뜻밖의 사업자금이 여러곳에서 생기게 된다.

◇ **흙을 파서 물건을 얻은 꿈은** / 단체에서 그 물건이 상징하는 어떤 이득이 생긴다.

◇ **배뇨 구덩이를 판 꿈은** / 사업상 거래처를 확보하고 학자는 창작물의 기초를 마련하게 된다.

◇ **길에 파놓은 함정을 뛰어넘거나 차를 탄채 뛰어넘은 꿈은** / 어렵고 힘든 여건을 잘 극복해 나간다.

4) 광산 · 보석 · 광물질 · 기타

◇ **광석을 운반하거나 쌓는 것을 본 꿈은**/여러 방면으로 많은 재물을 확보하게 된다.

◇ **금실이 수놓아진 치마를 선물받은 꿈은**/미혼자는 마땅한 혼처자리가 나타난다.

◇ **미혼녀가 금반지를 남에게 받은 꿈은**/미혼녀는 결혼이 성사된다.

◇ **벽에서 가스가 새어 나온 것을 본 꿈은**/새로운 소식을 전해 듣거나 인쇄물을 보게 된다.

◇ **누가 자기의 보석을 탐내거나 본 꿈은**/자기의 비밀이나 좋은 아이디어를 잃거나 유린당한다.

◇ **금두꺼비나 금송아지를 얻은 꿈은**/이것이 태몽이라면 부귀 공명할 자손을 얻게 된다.

◇ **금속의 성질이 튼튼하여 오래 보존된 꿈은**/하는 일이 견고하고 완벽하여 가치있는 것을 나타낸다.

◇ **보석이 변색하거나 빛을 잃은 꿈은**/자기 주변이나 신변에 새로운 변화가 생긴다.

◇ **무수히 많은 반지를 얻은 꿈은**/이것이 태몽이라면 여러 군데에서 자기의 능력을 충분히 발휘시키는 자손을 얻게 된다.

◇ **옷에 금줄이 달리거나 금장식한 옷을 입은 꿈은**/고위층 사람과 인연을 맺어 자기의 신분이 높아진다.

◇ **권력자가 보석을 잃은 꿈은**/자기의 명예나 신분이 하루 아침에 몰락하게 된다.

◇ **가스가 폭발한 꿈은**/어떤 선전 광고나 작품이 대단한 인기를 끌

게 된다.

◇ **구리반지가 보석반지로 변한 꿈은** / 미천한 것에서 출발하여 점차적으로 발전을 거듭하게 된다.

◇ **비어있는 반지갑을 받은 꿈은** / 어떤 사람의 감언이설에 속아 넘어가게 된다.

◇ **광산을 찾아가거나 광맥을 탐색한 꿈은** / 어떤 기관에 갈 일이 생기고 일의 성과를 얻기 위해 많은 연구를 한다.

◇ **산에서 물이 아닌 기름이 냇물이 되어 흐르는 것을 본 꿈은** / 자기의 작품을 발표하거나 종교적인 전도를 하게 된다.

◇ **보물단지나 보물 상자를 얻거나 본 꿈은** / 학자는 많은 연구를 하여 희귀한 학설을 정립하게 된다.

◇ **광산에 화차가 머리를 외부로 향해 놓여 있는 것을 본 꿈은** / 재산이 늘어나거나 새로운 계획을 추진하게 된다.

제22장
신령과 영적인 존재에 관한 꿈

1) 부처 · 예수 · 성모 마리아 · 하느님 · 기타

◇ 불상에게 염불을 외우거나 절한 꿈은 / 권위있는 사람에게 청원할 일이 있거나 자기의 소원이 성취된다.

◇ 신령적인 존재가 준 음식을 받아 먹은 꿈은 / 존경하는 사람이 자기에게 일을 맡겨 그 일에 종사하게 된다.

◇ 성모마리아상 앞에서 기도한 꿈은 / 다른 사람의 도움으로 자기가 소원한 일이 성취된다.

◇ 금불상을 얻은 꿈은 / 감동적인 서적을 읽거나 사회에 기여할 수 있는 일에 종사한다.

◇ 우상이나 신에게 제물을 바친 꿈은 / 어떤 권력자에게 자기가 청원한 일을 성취시켜 달라고 부탁한다.

◇ 궁지에 몰렸을 때 하느님을 찾는 꿈은 / 자기의 양심을 남에게 호소하거나 협조자에게 도움을 청하게 된다.

◇ 오색 찬란한 의상을 걸치고 예수가 나타난 것을 우러러 본 꿈은 / 진리가 담긴 서적을 출판하거나 사회적으로 위대한 지도자가 나타난다.

◇ **신선과 바둑이나 장기를 둔 꿈은** / 사업관계로 여러 사람과 시비가 생기게 된다.

◇ **선녀가 춤을 추고 있는 것을 본 꿈은** / 자기가 하고있는 일이 여러 사람의 이목거리가 된다.

◇ **천사가 자신을 하느님 곁으로 데리고 간 꿈은** / 어떤 기관에 고급관리로 취직하게 된다.

◇ **교회당에 예수가 나타난 것을 본 꿈은** / 훌륭한 성직자나 어떤 단체의 우두머리를 만나게 된다.

◇ **성모마리아상이 자신에게 빛을 비추거나 후광을 나타낸 꿈은** / 자신이 신앙을 깨달음을 느끼고 어떤 위대한 사람의 업적을 보게 된다.

◇ **천당에 가서 보좌에 앉은 하느님을 본 꿈은** / 사회적으로 권위있는 사람을 만나게 되고 진리의 서적을 읽게 된다.

◇ **걸어가는 예수의 뒷모습을 본 꿈은** / 어떤 지도자가 자기의 청원을 잘 받아 드린다.

◇ **천사가 나팔을 부는 것을 본 꿈은** / 교회 성가대가 음악을 연주하는 것을 보게 된다.

◇ **천당에 보내달라고 하느님께 빈 꿈은** / 자신의 지위가 높아지거나 미혼자는 결혼에 관계되는 일을 하게 된다.

◇ **불상 좌우에 늘어선 많은 여래상을 본 꿈은** / 어떤 단체의 리이더를 중심으로 서로 협력해 나간다.

◇ **교인이 하느님께 기도한 꿈은** / 진리를 깨닫게 되고 자기 양심을 호소해서 반성할 일이 생긴다.

◇ **신이 갑자기 선악과라고 알려준 과일을 따먹는 꿈은** / 어떤 일의 바른 일과 간사한 일을 구분하거나 책을 읽고 선악을 분별하게 된다.

◇ **산신령이 위험을 경고한 꿈은** / 자기 아닌 또 하나의 자아를 발견

하게 된다.

◇ **선녀와 결혼한 꿈은** / 서류상 계약이 맺어지고 좋은 사람을 만나게 된다.

◇ **좌선하고 있는 석가모니를 본 꿈은** / 학자가 학문 연구에 몰두하게 된다.

◇ **우렁찬 하느님의 말이 공중에서 들린 꿈은** / 사회적으로 풍기문란, 부정부패를 고발하게 된다.

◇ **관음보살상을 얻은 꿈은** / 훌륭한 작품을 얻거나 자기에게 도움을 줄 사람을 만나게 된다.

◇ **선녀가 아이를 가져다 준 꿈은** / 이것이 태몽이라면 일국의 으뜸가는 학자가 되어 학문적 업적을 남길 자손을 얻게 된다.

◇ **교인이 아닌 사람이 천사가 나팔 부는 것을 본 꿈은** / 관직에 오르거나 시국의 변화를 나타낸다.

◇ **천당을 구경한 꿈은** / 아름답고 성스러운 곳을 구경하게 된다.

◇ **동상이 자신에게 절을 하거나 걸어간 꿈은** / 역사적인 일을 재연하거나 역사적 기록물을 읽거나 연구하게 된다.

◇ **예수가 어느 산에서 자신에게 영세물을 입에 넣어준 꿈은** / 학교에 입학하거나 공공단체에 가입하게 된다.

◇ **고령자나 중병환자가 천사를 따라간 꿈은** / 자신의 죽음이 임박해 있는 것을 나타낸다.

◇ **신이 약을 줘서 받아 먹은 꿈은** / 어떤 약을 먹게 되거나 존경하는 사람으로부터 부탁을 받게 된다.

2) 귀신 · 도깨비 · 유령 · 조상 · 기타

◇ **붉은색 망또를 입은 유령이 춤추는 것을 본 꿈은**/불량배에게 매를 맞거나 코피를 흘리는 것으로 액땜을 하게 된다.

◇ **문 밖에서 아내가 마주보고 있는 꿈은**/어떤 일을 시작하는데 집안의 반대로 뜻대로 일이 성사되지 않는다.

◇ **생전에 자기에게 잘해준 누님이 보인 꿈은**/어떤 도움을 받을 수 있는 협조자를 만나게 된다.

◇ **방망이로 귀신을 잡아 흔적도 없이 해치운 꿈은**/정신적으로 시달림을 받던 일이 깨끗이 해결된다.

◇ **죽은 딸이 나타난 꿈은**/어떤 일을 애착심을 가지고 성사시키려고 한다.

◇ **머리를 푼 채 공중을 날아와 머리채를 휘어잡는 유령의 꿈은**/정신적인 압박을 받거나 두통에 시달리게 된다.

◇ **억울하게 죽었던 자가 나타난 꿈은**/자기를 괴롭히는 심적 고통거리나 병마에 시달리게 된다.

◇ **조상이 나타나서 예언이나 명령한 꿈은**/누구의 간섭을 받지 않고 자기 주장대로 일을 처리한다.

제23장 강·호수·바다·물에 관한 꿈

1) 강·호수·바다·폭포

◇ 물길이 두 갈래로 갈라진 꿈은／신앙이나 사업의 방향을 잃어버리거나 두 방향으로 나누어 진다.

◇ 탐스런 꽃 한송이를 흐르는 강가에서 꺾은 꿈은／지혜가 담긴 서적을 읽거나 큰 학술 서적을 저술하게 된다.

◇ 자신이 물 속을 헤엄쳐 다닌 꿈은／학문을 연구하거나 제3자의 비밀을 알고 싶어한다.

◇ 사막에서 오아시스를 만난 꿈은／어려운 난관에 처해있는 일이 고통에서 벗어난다.

◇ 파도가 부딪히는 바위에 선 꿈은／여러 사람과 시비거리가 생겨 말다툼하게 된다.

◇ 넓은 바다에서 수영을 한 꿈은／매사에 하는 일이 잘 추진된다.

◇ 마른 개천에 물고기가 우글거린 꿈은／자기에게 유리한 조건으로 돈을 취득하거나 운영난에 빠지게 된다.

◇ 흐르는 물이 갑자기 폭포로 변해 소리가 요란한 꿈은／어떤 작품

발표로 인해 세상 사람들의 입에 오르내린다.

◇ 폭포가 장막처럼 쏟아진 꿈은 / 어떤 초청 강의나 인터뷰 한 내용이 매스컴을 통해 전달된다.

◇ 바다 한 가운데 무덤이 있는 꿈은 / 어떤 회사가 해외에 영향을 주는 일을 관계하거나 세일즈맨이 많이 종사한다.

◇ 호수가 보라색으로 변한 꿈은 / 어떤 기관에서 자기에게 여러 방면으로 도움을 많이 준다.

◇ 거북이가 바다에서 하천으로 오른 꿈은 / 국영기업 일이 개인 소유로 전환되어 크게 성공한다.

◇ 냇물에서 손발을 씻은 꿈은 / 어떤 단체에서 자기가 소원한 일이 성취된다.

◇ 동물이 호수로 들어간 꿈은 / 어떤 기관에 입사하거나 작품 발표을 하게 된다.

◇ 강물에서 몸을 씻는데 오히려 몸이 더러워진 꿈은 / 성실하게 일을 하지만 성과를 얻지 못하고 구속당한 곳에서 헤어나지 못한다.

◇ 계곡에 흐르는 물 중앙에 서 있는 사람을 본 꿈은 / 자기의 작품이나 논문을 어떤 회사에서 인정을 해 준다.

◇ 강물이 거꾸로 흐르는 꿈은 / 자기의 주장을 여러곳에서 반발을 하고 나선다.

◇ 용의 상하체가 각각 다른 곳에 떨어져 있는 꿈은 / 국내 사업이 국제적으로 인정을 받게 된다.

◇ 호수나 강물이 얼어있는 꿈은 / 여러 방면으로 사업자금이 동결되거나 정체된다.

◇ 강물이 맑은 꿈은 / 자신이 하고 있는 일에 만족을 느낀다.

◇ 물통을 던지니 물은 없고 그릇만 뎅그렁 굴러 나온 꿈은/동업을 하는 사람을 믿고 일을 추진했으나 사기를 당하고 실속없는 일은 포기해 버린다.

◇ 동물이 물 속으로 자취를 감춘 꿈은/어떤 일을 끝마치거나 사람이 갑자기 사라진 것을 뜻한다.

◇ 진달래꽃이 만발한 산 밑에 물살이 세게 흐르는 꿈은/어떤 잡지사에 자기의 작품을 출품할 일이 생긴다.

◇ 바다에 있는 깊은 산 속으로 들어간 꿈은/죽음을 암시하거나 외국으로 나갈 일이 있게 된다.

◇ 맑은 물이 개간지 중앙을 흐르는 것을 본 꿈은/어떤 계몽사업이나 교화 사업이 뜻대로 잘 추진해 나간다.

2) 홍수 · 해일

◇ 바닷물이 육지에 들었다 빠진 흔적을 본 꿈은/어떤 일을 추진해 나가다가 중간에 포기한다.

◇ 홍수나 바닷물이 집안으로 밀려 들어온 꿈은/많은 재물이 생겨 부자가 된다.

◇ 해일이 일어 산야를 뒤덮은 꿈은/거대한 사업으로 크게 부귀로와진다.

◇ 바닷물이 점점 밀려나가는 것을 본 꿈은/어떤 강력한 세력이나 기존 사상에서 점차적으로 벗어난다.

◇ 바닷물이 멍석을 말듯 먼곳으로 밀려나고 광활한 해저가 드러난 꿈은/봉건 사상이나 기존 학설 등을 물리치게 된다.

◇ 물이 없는 갯바닥에 물고기가 있는 꿈은/여러 방면으로 사업을

추진해 나가 많은 이득을 얻게 된다.

◇ **해일을 본 꿈은** / 이것이 태몽이라면 권세를 행사하거나 문학 등으로 혁신적인 일에 종사할 자손을 얻는다.

3) 우물 · 샘 · 수도물 · 기타

◇ **집에 갑자기 우물이 생긴 꿈은** / 어떤 회사에 취직되거나 미혼자는 혼담이 오고간다.

◇ **약수물을 마신 꿈은** / 근심 걱정이 해소되고 새로운 진리를 깨닫게 된다.

◇ **우물물이 가득 불어나서 넘쳐흐른 꿈은** / 많은 재산을 모으지만 그만큼 소비도 많게 된다.

◇ **밑빠진 독에 자꾸 물을 붓는 꿈은** / 아무리 벌어도 재물이 모아지지 않고 소비되어 버린다.

◇ **뜨거운 물을 마신 꿈은** / 여러 방면으로 자기가 소원한 일이 성사된다.

◇ **어떤 남자와 우물에서 두레박질을 번갈아 가며 한 처녀의 꿈은** / 미혼자는 여러번 혼담이 오고간 후에 결혼이 성사된다.

◇ **물을 시원하게 마시지 못한 꿈은** / 어떤 일이 성사는 되지만 만족스럽지가 않다.

◇ **우물을 발견하거나 찾아 헤맨 꿈은** / 어떤 기관에 사업 관계로 일을 부탁한 것이 뜻대로 이루어진다.

◇ **우물물을 퍼서 손발을 씻은 꿈은** / 근심 걱정이 해소되고 미혼자는 결혼이 성사된다.

◇ 자신이 세탁한 옷을 물 그릇에 담가둔 것을 본 꿈은 / 자기의 직업이 바뀌고 하는 일마다 남의 이목을 받게 된다.

◇ 물이 방안에 가득 고인 꿈은 / 좋은 아이디어를 개발하여 사업이 번창해진다.

◇ 우물안에서 산이 보인 꿈은 / 뜻밖에 큰 사업체가 생기거나 배우자가 나타난다.

◇ 집안에 있는 물통에 물이 가득차 있는 것을 본 꿈은 / 많은 재물이 여러곳에서 생긴다.

◇ 우물물이 흐려서 처음엔 못마셨다가 나중에 맑아져서 떠 마신 꿈은 / 하고 싶은 일이 어려운 난관에 부딪혔다가 성사된다.

◇ 그릇에 담긴 물이 엎질러진 꿈은 / 재물의 손실이 따르고 자기가 소원했던 꿈이 좌절된다.

◇ 몸을 뜨거운 물에 씻는 꿈은 / 여러 사람의 도움으로 무난히 시험에 합격한다.

◇ 우물에 사람을 넣고 묻어버린 꿈은 / 자기의 사생활을 지키며 은행에 장기저축을 하게 된다.

◇ 샘물이 들판에서 솟는 것을 본 꿈은 / 잡지사에 작품을 연재하거나 사업 자금이 생긴다.

◇ 물이 여러군데에서 펑펑 쏟아져 고여 있는 꿈은 / 여러 방면으로 재물을 모아 부자가 된다.

◇ 그릇에 담긴 물이 새는데가 없나 살펴본 꿈은 / 사업체를 운영해 나가면서 경비를 절약해서 쓴다.

◇ 수도물이 나오지 않는 꿈은 / 사업체나 가정이 경제적으로 어려움을 겪는다.

◇ 우물에 들어간 꿈은 / 어떤 기관에 취직을 하거나 볼일이 있어 들

어가게 된다.

◇ 뒤집힌 우물물이 흙탕물로 변한 꿈은/가정에 우환이 있고 사업체에서 부정한 일을 하게 된다.

◇ 수도물이 많이 쏟아지지만 받을 그릇이 없는 꿈은/사업상 빚만 잔뜩 지고 소비할 일만 생긴다.

◇ 출처가 분명하지 않은 곳에서 여러 번 물을 떠다 우물에 붓는 꿈은/세일즈맨이 돈을 수금할 일이 생긴다.

◇ 샘물이 산 아래에서 솟아난 꿈은/어떤 기관에서 여러 방면으로 재물을 얻게 된다.

◇ 동물이 깊은 우물에서 나온 꿈은/이것이 태몽이라면 정부기관이나 사회적으로 대성할 자손을 얻게 된다.

◇ 여러 개의 우물을 지나간 꿈은/여러 가지 사업 경험을 가지고 거래처를 확보하게 된다.

◇ 공중에 기둥같은 호수가 생겨 동네가 물바다를 이룬 꿈은/잡지에 어떤 작품이 실려 세상 사람에게 감명을 주게 된다.

◇ 빨래를 맑은 물에서 한 꿈은/ 하고 있는 일이 뜻대로 순조롭게 이루어진다.

◇ 방안에 물이 가득 고여 그 안에서 목욕하거나 헤엄친 꿈은/생활이 윤택해지고 자본이 많은 회사를 통해 자기의 소원을 충족시킨다.

◇ 샘물이 땅에서 솟아나와 그것이 흘러 냇물이 된 꿈은/어떤 서적이 출판되어 베스트 셀러가 된다.

◇ 수도꼭지를 틀어도 물이 나오지 않는 꿈은/어떤 사업을 추진해 나가는데 뜻대로 이루어지지 않는다.

◇ 샘물에 관한 꿈은/이것이 태몽이라면 사업가나 문학가가 될 자

손을 얻게 된다.

◇ **물고기가 뜨거운 물이 끓는 우물에 우글거리는 것을 본 꿈은** / 열성적인 사람들이 교회에서 참된 신앙에 몰두하게 된다.

◇ **사람이 우물 안에서 나온 것을 본 꿈은** / 어떤 단체에서 훌륭한 인재를 배출하거나 진리가 담긴 서적을 출판한다.

◇ **불어난 우물물이 가득찬 꿈은** / 여러 방면으로 사업이 잘 풀려 재물이 생긴다.

◇ **일부러 우물에 들어가 빠지거나 나오지 못한 꿈은** / 자기 꾀에 자기가 넘어가거나 어떤 곳에 구속받게 된다.

제 24 장
주택이나 그 외의 건물에 관한 꿈

1) 관공서 · 회사의 건물

◇ **종탑이 높은 교회에서 울리는 종소리를 들은 꿈은** / 자기의 진심을 널리 알리거나 기쁜 소식을 남에게 전할 일이 있다.

◇ **군대가 주둔한 막사나 사령부를 본 꿈은** / 관공서나 기타 단체기관과 접촉할 일이 생기게 된다.

◇ **벌레집을 발견하고 거기에 몹시 집착했던 꿈은** / 단독적인 물건을 생산할 일이 생기거나 혼담이 성립되게 된다.

◇ **살롱이나 다방에 들어갔던 꿈은** / 개인내지는 단체와 결속할 일이 생기거나 누군가와 친교할 일이 생긴다.

◇ **과일을 파는 가게와 관계를 한 꿈은** / 금융기관에 출입하거나 그런 곳에 근무하고 있는 사람과 상담할 일이 생긴다.

◇ **호텔이나 여관 등 숙박업소와 관계한 꿈은** / 어떤 회사에 임시직으로 취직이 되거나 한없이 기다려야 할 일 등이 생기게 된다.

◇ **용이 승천한 자리에 작고 아담한 교회가 생긴 꿈은** / 목적했던 것을 달성하게 되고 후세에 남을 업적을 이룩하게 된다.

◇ **보석류를 취급하는 금은방과 관계한 꿈은**/심사기관, 연구기관 등에 출입할 일이 생기거나 그 일에 직접 참여하게 된다.

◇ **식물원을 구경했던 꿈은**/멀리 관광을 하게 되거나 등산, 산책 등을 할 일이 생긴다.

◇ **흔히 말하는 일반회사와 관계한 꿈은**/어떤 사업장이나 교육기관으로부터 표창을 받게 되거나 공로를 치하받게 된다.

◇ **옷감이나 종이류를 구입한 꿈은**/부동산의 서류를 꾸미게 되거나 소개업자를 통해 무슨 일인가를 소개받게 된다.

◇ **곡물가게와 거래한 꿈은**/직접적으로 돈과 관계가 있는 일에 참여하게 된다.

◇ **은행 등 금융기관과 접촉했던 꿈은**/출판사 등 문화사업장으로부터 원고청탁 등을 부탁받게 된다.

◇ **유흥업소와 관계했던 꿈은**/많은 사람에게 알릴 목적으로 자신과 관계된 광고를 할 일이 생긴다.

◇ **군부대의 연병장이나 학교의 운동장 등 넓은 곳에서 뛰놀았던 꿈은**/신문이나 잡지 등 언론 매체를 통해 자신에 대한 기사가 나가게 된다.

◇ **조그맣던 십자가가 점차 커지더니 대지를 덮어버린 꿈은**/지금까지는 없었던 진리나 법규 등이 생겨나 자신에게 큰 타격을 주게 된다.

◇ **어느 가게에 셀 수 없을 정도로 많은 양복이 걸려 있는 것을 본 꿈은**/취직을 하게 되거나 승진 등 축하할만한 일이 생기게 된다.

◇ **근엄한 마음으로 사당이나 종묘 등을 거닐었던 꿈은**/정부에서 인정해 주는 단체에서 큰 업적을 이룩하게 된다.

◇ **시장을 걸으며 여기저기 기웃거렸던 꿈은**/결혼 상대자나 취직처

를 놓고 선택과정에서 마음을 쓰게 된다.

2) 건물과 관계된 행동

◇ **방이 넓거나 길다고 생각됐던 꿈은** / 자기의 사업장을 큰 곳으로 옮기게 되거나 세력이 점점 막강해진다.

◇ **툇마루에 올라갔던 꿈은** / 국외와 관계된 일 즉, 수출 등과 관계를 맺게 된다.

◇ **어떤 건물의 4층에서 무슨 일인가를 했던 꿈은** / 4년 정도의 선배와 동업 등을 하게 되며 그로 인해 이득을 취하게 된다.

◇ **허허벌판에서 배설을 한 꿈은** / 자신의 모든 걸 직접 공개하게 되거나 타의에 의해 공개되게 된다.

◇ **일곱 계단을 내려온 꿈은** / 7년 동안 사업이 부진하거나 불행을 겪게 된다.

◇ **차로 들이받아 담을 무너뜨린 꿈은** / 능력 있는 사람이 나타나서 자신의 사업 진로를 제공해 준다.

◇ **그릇에 물을 떠다놓고 방에서 세수를 한 꿈은** / 밀폐된 장소로 안내되어 어떤 지시를 받거나 훈계를 듣게 된다.

◇ **암벽에 글씨가 새겨져 있는 것을 본 꿈은** / 누군가가 자기의 이름을 참고해서 책의 제목을 짓거나 승진을 하게 된다.

◇ **하천이나 시내 등 야외의 자연수에서 목욕을 한 꿈은** / 사회단체나 법인회사 등에서 자기의 욕구를 충족시켜 준다.

◇ **무너진 담 사이로 밖이 훤히 내다보인 꿈은** / 운세가 트여서 사업 등 모든 일이 활발하게 진행되게 된다.

◇ 까마득하게 보일 정도로 높은 돌계단을 오른 꿈은 / 자기가 쌓았던 업적이 발표되거나 그로 인한 표창장 등을 받게 된다.

◇ 물을 몸에 끼얹은 꿈은 / 횡재할 일이 생기거나 작품의 입선 등으로 자신이 돋보이게 된다.

◇ 사다리를 타고 올라갔는데 내려올 수 없었던 꿈은 / 직장을 옮기려던 계획이 수포로 돌아가거나 진행 중이던 일이 중단되게 된다.

◇ 자신이 지하실로 들어갔던 꿈은 / 암거래를 하게 되거나 비밀단체 등에 가입 유혹을 받게 된다.

◇ 상좌인 아랫목에 손님을 모셨던 꿈은 / 평소 존경하던 사람이나 보호해줘야 할 사람을 만나게 된다.

◇ 학생이 담 위에 올랐던 꿈은 / 시험에 응시했으면 합격 통지서를 받게 되고 일반인에겐 좋은 소식이 답지하게 된다.

◇ 벽면에 그림을 그리거나 글씨를 써두었던 꿈은 / 자기의 작품이 공개되거나 업적, 명성 등이 문서로 기록되어 영원히 남게 될 것이다.

◇ 크고 호화로운 저택의 마루에 올라선 꿈은 / 취직을 하거나 진급이 되고 남들이 자신을 고귀한 인품의 소유자로 평가해 준다.

◇ 부엌에서 서성거리던 꿈은 / 사업을 시작하게 되거나 출세의 기반을 다질 일이 생긴다.

◇ 오랫동안 용변을 참다가 시원하게 배설한 꿈은 / 불만스러운 여러 사업장을 거치다가 소원을 충족시킬 수 있는 곳에서 정착하게 된다.

◇ 마루에서 서성댔던 꿈은 / 중개소나 소개업에 관계된 사람을 만나 긴히 상의할 일이 생기게 된다.

◇ 동일한 목욕탕에 여러번 들어갔던 꿈은 / 한 기관에서 자신의 청탁을 목욕탕에 들어간 횟수만큼 들어주게 된다.

◇ 담벼락을 끼고 순찰을 돌았던 꿈은 / 외근 부서로 발령을 받게 되

거나 파견근무 명령을 받게 된다.

◇ **벽에 갖가지 물건을 걸어둔 꿈은** / 어떤 단체나 언론기관 등을 통해서 자신의 명예를 과시하게 된다.

◇ **천천히 계단을 내려온 꿈은** / 진행 중이던 일이 역행하거나 위법적인 일을 저지르게 된다.

◇ **담을 뚫고 도둑이 든 꿈은** / 자신의 일을 열심히 도와줄 동업자나 배우자를 만나 결속하게 된다.

◇ **수도꼭지에서 떨어지는 물방울로 샤워를 한 꿈은** / 어디를 가서 어떤 일을 하든 물질적인 이득을 보게 된다.

◇ **목욕탕에 들어가서 목욕을 한 꿈은** / 불만이 해소되고 바라던 바를 이룩하게 된다.

◇ **자신이 변소로 숨은 꿈은** / 크고 작고를 불문하고 어떤 부정을 저지르게 된다.

◇ **갓 태어난 아기를 목욕시킨 꿈은** / 자기보다 능력이 한수 위인 사람이 나타나 자신의 일이나 작품 등의 미비점을 보완해 준다.

◇ **한쌍의 남녀가 한 변소에 동시에 들어가는 것을 본 꿈은** / 자기가 일한 댓가를 가로채려는 사람이 나타나게 된다.

3) 주택

◇ **집이 저절로 무너져내린 꿈은** / 자기가 노력하지 않아도 사회의 흐름에 의해서 이익될 일이 생긴다.

◇ **삼촌 집으로 방문을 했던 꿈은** / 자기에게 많은 협조를 해줄 사람을 찾아가거나 사업장을 방문하게 된다.

◎ **증축을 목적으로 집을 고친 꿈은**/ 많은 사람들을 사귀게 되거나 사업을 확장하게 된다.

◎ **텅빈 집에 혼자 누워 있었던 꿈은**/ 계약할 일이나 혼담 등이 쉽게 이루어지지 않고 자꾸만 연기가 되게 된다.

◎ **빌딩을 신축하고 있는 것을 본 꿈은**/ 어떤 단체를 만들거나 사업체를 조직하게 된다.

◎ **벽에 페인트를 칠하는 등 치장을 한 꿈은**/ 사업상의 내면을 공개하거나 광고를 할 일이 생긴다.

◎ **새로 지은 집으로 이사를 한 꿈은**/ 직장을 옮기거나 실제로 이사를 하는 등의 새로운 일거리가 생기게 된다.

◎ **외로이 떨어져 있는 초가집을 본 꿈은**/ 관청에 들어갈 일이 생기거나 취업을 하게 된다.

◎ **친구집을 방문했던 꿈은**/ 친분관계가 있는 사람의 회사를 찾아가서 부탁할 일이 생긴다.

◎ **이사할 집이 완파된 것을 본 꿈은**/ 평생 동안 만날 행운 중에서 제일 큰 행운을 잡게 된다.

◎ **집밖으로 나갔던 꿈은**/ 사업을 시작하게 되거나 계획했던 일을 착수하게 된다.

◎ **움막집에 들어갔던 꿈은**/ 여자와 관계된 음모에 빠지게 되고 중병에 걸릴 위험이 도사리고 있다.

◎ **가구 등의 물건을 집안으로 들여온 꿈은**/ 큰 이득을 보게 되거나 돈과 관계된 사건을 떠맡게 된다.

◎ **집을 짓고 있는 공사현장을 본 꿈은**/ 남의 일에 지나친 관심을 갖게 되거나 어떤 일을 감독, 책임지게 된다.

◎ **많은 사람들이 집으로 몰려왔던 꿈은**/ 자신과 관계된 일에 참견

할 사람이 많아지게 된다.

◇ **이사할 준비를 했던 꿈은** / 직장을 옮길 마음이 생겨 곳곳에 부탁을 하게 된다.

◇ **주택을 수리하는 것을 본 꿈은** / 하고 있는 사업이 완벽하게 자리가 잡히고 더욱 투자할 일이 생긴다.

◇ **무당집에 가서 푸닥거리를 한 꿈은** / 자기와 관련된 기사가 신문이나 잡지 등에 실리게 된다.

◇ **술집에서 술을 마시고 집에 와서 배뇨를 한 꿈은** / 어떤 기관의 일거리를 맡아 다른 기관의 도움을 받아 일을 성사시킨다.

◇ **굿을 하면서 춤을 추고 노래를 부르는 꿈은** / 무당집이나 철학관 등을 찾아가 운명을 점치게 된다.

◇ **집터를 일군 꿈은** / 사업과 관련된 능력자를 영입할 일이 생기고 직접적으로 그 영향이 나타나게 된다.

◇ **두 채의 집을 놓고 어느 집으로 이사를 할까 하고 망설였던 꿈은** / 사업을 시작하는데 크게 할 것인가, 작게 할 것인가에 대해 갈등을 느끼게 된다.

◇ **새로운 집에 들어간 꿈은** / 혼담이 성립되거나 취직, 또는 새로운 사업을 하게 된다.

◇ **이사한 집으로 이삿짐을 들여놓은 꿈은** / 부탁했던 일들이 이루어지고 사업이 호기를 띠게 된다.

◇ **사람들이 건물 안으로 들어갔는데 건물이 무너진 꿈은** / 막강하게 형성되어 오던 세력이 무너지고 새로운 세력이 주도권을 잡게 된다.

◇ **친정에 있던 여자가 시집으로 간 꿈은** / 관공서에 갈 일이 생기거나 멀리 출장을 갈 일이 생긴다.

◇ **집이 아무 이유도 없이 반파된 꿈은** / 질병에 걸리게 되거나 지위

가 땅에 떨어지게 된다.

◇ **외출에서 돌아와 집으로 들어갔던 꿈은** / 사업체를 해체하게 되거나 직장에서 퇴직을 하게 된다.

◇ **이사짐을 밖으로 내놓거나 차에 싣는 것을 구경한 꿈은** / 사업계획을 바꾸게 되거나 주변 환경을 새롭게 정리하게 된다.

◇ **남이 자기 집을 마구 허물어내린 꿈은** / 타의에 의해서 자신의 진로를 바꾸게 되거나 스스로 자포자기 할 일이 생기게 된다.

◇ **고층건물에 볼일이 있어 출입했던 꿈은** / 보통이 넘는 거대한 일을 하게 되거나 사람들이 기억할 지위에 오르게 된다.

◇ **남의 집을 방문했던 꿈은** / 많은 사람들이 자신을 찾아오거나 갖가지의 부탁을 받게 된다.

◇ **이사짐 꾸리는 것을 본 꿈은** / 오래도록 해결되지 않던 일이나 계약, 혼사 등이 쉽게 이루어진다.

◇ **남의 집 담장 안을 들여다본 꿈은** / 조용한 장소를 찾아 그곳에서 오랜동안 학문의 탐구, 기술 등의 연구 때문에 머물게 된다.

◇ **갖가지의 건축자재를 산더미처럼 쌓아두었던 꿈은** / 쪼들렸던 사업자금이 풀리게 되거나 귀중한 연구자료를 얻게 된다.

◇ **주택을 구입한 꿈은** / 사업의 기반을 탄탄히 다질 일이 생기고 배우자가 될 사람을 만나게 된다.

◇ **친정을 향해 가던 도중 발길을 돌려 시집으로 간 꿈은** / 의욕을 갖고 진행하던 일을 포기하게 되거나 헤어졌던 사람을 다시 만나 결합하게 된다.

◇ **이사한 집의 방을 일일히 살펴본 꿈은** / 새 식구가 된 사람, 즉 시집을 온 여자의 됨됨이를 살피거나 생김새 등에 많은 궁금증을 갖고 대하게 된다.

◇ 왔던 손님이 돌아간 꿈은 / 꿈 속의 사람과 인연이 끊길 사건이 생기거나 반대로 원수지간이던 관계가 원활하게 풀리게 된다.

◇ 지붕을 수리하거나 기와를 잇는 것을 본 꿈은 / 하던 일이 완성되거나 확실하던 거래처가 거래를 옮기게 된다.

◇ 이사짐이 산더미처럼 많았던 꿈은 / 사업자금을 대줄 사람이 나타나게 되고 그만큼 근심걱정이 많아지게 된다.

◇ 환자가 새로 지은 집에 들어가서 문을 걸어잠그고 나오지 않았던 꿈은 / 병이 최대로 악화되거나 가까운 시일 안에 사망하게 된다.

◇ 자기 집을 허물어내렸던 꿈은 / 계획을 변경하거나, 크게는 국가적 변동사항이 있어 담화문 등을 발표하게 된다.

◇ 아파트 단지의 건물 사이로 지나간 꿈은 / 무슨 일을 하든 여러 기관 등에서 사사건건 간섭하는 일이 많다.

◇ 많은 사람들이 자기 집과 그 주위에서 웅성댄 꿈은 / 일가친척 중의 누군가가 사망하거나, 사람들이 많이 모일 불상사를 당하게 된다.

◇ 연립주택이나 아파트 등 현대식 건물과 관계한 꿈은 / 문화사업을 시작하게 되거나 그와 관련한 작품을 발표하게 된다.

◇ 전통적 한옥이나 초가집과 관계한 꿈은 / 시골길을 걷게 되거나 고고학적인 일과 관계하게 된다.

◇ 변소에 들어갔던 꿈은 / 자신의 목적을 이룰 수 있는 장소를 찾게 된다.

◇ 음식점 옆에 붙어 있는 변소에서 용변을 본 꿈은 / 누군가를 접대하는 과정에서 창녀와 성관계를 하게 된다.

◇ 한쌍의 남녀가 변소로 들어간 것을 본 꿈은 / 간통소식을 듣게 되거나 자신의 이익을 가로채려는 사람이 나타난다.

◇ 철조망을 끊고 내부로 침입한 꿈은 / 상상조차 할 수 없을 정도의

능력을 발휘하여 정부기관을 술렁이게 하고 어려웠던 일을 쉽게 해결시켜 준다.

◇ **동물이 천정을 뚫고 들어온 걸 본 꿈은** / 단명하거나 일찍 양친부모를 잃게 된다.

◇ **총천연색의 기와로 지붕이 장식돼 있는 꿈은** / 사업장에서 유별난 일이 일어나게 된다.

◇ **대문을 나선 처녀가 공동묘지나 산으로 걸어간 꿈은** / 진행 중이던 혼담이 성립되거나 취직을 하게 된다.

◇ **담 위에서 고양이가 내려다본 꿈은** / 자기의 일에 간섭할 사람이 나타나거나 누군가에 의해 감시를 받게 된다.

◇ **문구멍을 통해서 안을 엿본 꿈은** / 정보수집을 하게 되거나 누군가에게 린치를 가하게 된다.

◇ **누군가가 자신의 방을 들여다본 꿈은** / 누가 자기의 모든 것을 알려 하거나 싸움을 걸어오게 된다.

◇ **천정에 붙은 불이 거세게 번진 꿈은** / 누구에겐가 은밀하게 청탁할 일이 남의 입에 오르내리게 되고 그로 인하여 타격을 입게 된다.

◇ **문턱에 있던 구렁이가 갑자기 없어진 꿈은** / 진행 중인 혼담이 성사되나 불화로 인하여 이별을 하게 된다.

◇ **유명인사와 악수를 하거나 인사를 대신해 키스를 한 꿈은** / 명예를 얻게 되거나 자기와 관련된 일이 성공적으로 성사됐다는 소식을 듣게 된다.

◇ **어느 집 울타리 안에 있는 과일나무에서 집주인이 과일을 따준 꿈은** / 상상하지 않았던 보너스를 받게 되거나 좋은 직장에 취직이 된다.

꿈해몽법

1984년 1월 10일 초판 인쇄
2012년 1월 10일 27쇄 발행

편저자/편집부
발행자/김종진
발행처/은광사

등록번호/제18-71호
등록날자/1997년 1월 8일
서울시 중랑구 망우동 503-11호
전화:763-1258, 팩스:765-1258

※잘못된 책은 바꾸어 드립니다.

12,000원